Les soucis d'un SANSOUCY

Texte : Yvan DeMuy

Les soucis d'un
SANSOUCY

Illustrations :
Jean
Morin

ÉDITIONS
MICHEL
QUINTIN

Catalogage avant publication de Bibliothèque et Archives nationales du Québec et Bibliothèque et Archives Canada

DeMuy, Yvan

Les soucis d'un Sansoucy

Sommaire : 3. Surprise.

Pour les jeunes de 10 ans et plus.

ISBN 978-2-89435-661-6 (v. 3)

I. Morin, Jean. II. Titre. III. Titre : Surprise.

PS8557.E482S68 2013   jC843'.6   C2013-940255-1
PS9557.E482S68 2013

Éditrice : Colette Dufresne
Infographie : Marie-Ève Boisvert, Éditions Michel Quintin

 Le Conseil des Arts du Canada
The Canada Council for the Arts   Québec   Patrimoine canadien   Canadian Heritage

La publication de cet ouvrage a été réalisée grâce au soutien financier du Conseil des Arts du Canada et de la SODEC.

De plus, les Éditions Michel Quintin reconnaissent l'aide financière du gouvernement du Canada par l'entremise du Fonds du livre du Canada pour leurs activités d'édition.

Gouvernement du Québec – Programme de crédit d'impôt pour l'édition de livres – Gestion SODEC

ISBN 978-2-89435-661-6

Dépôt légal – Bibliothèque et Archives nationales du Québec, 2013
Dépôt légal – Bibliothèque et Archives Canada, 2013

© Copyright 2013

Éditions Michel Quintin
4770, rue Foster, Waterloo (Québec)
Canada J0E 2N0
Tél. : 450 539-3774
Téléc. : 450 539-4905
editionsmichelquintin.ca

1 3 - L B F - 1

Imprimé au Canada

À Mathis et à tous les
indispensables
meilleurs
amis

— Bienvenue au jeu-questionnaire trop populaire pour être vrai : *LE LOT!*

Notez ici l'effort, l'intelligence, la subtilité, la jarni-goine qu'a demandé la création de ce jeu de mots:

LOT-LAU.

Si vous ne comprenez pas le mot « jarnigoine », appelez votre grand-père ou quelqu'un qui a des cheveux blancs, je suis certain que lui le connaît.

Ce jeu-questionnaire, s'il existait réellement, serait hyper-populaire. À condition que j'en sois l'animateur, bien entendu!

ON JOUE OU PAS ?

— Accueillez votre animateur, Lauuuuuuuuuuuuuu...

— ... rent

AH VOILÀ !

— Sannnnnnnnnn...

ENCORE BLOQUÉ ?!

— ... soucy!

ENFIN !

— Alors, madame Torpille, dites-nous, quel est le plus grave problème de tous les temps ?

JE SAIS !
QU'IL Y AIT UNE PÉNURIE
DE BISCUITS SERAIT
UN GRAVE PROBLÈME.

— Pas de réponse, madame Torpille ? Je vous donne un indice : ce ne sont ni les cataclysmes, ni l'école, pas plus que les tsunamis, le brocoli, ou même la famine. Non, le plus grave problème de tous les temps, c'est bien pire que tout ça !

À MOINS
QUE CE SOIT
LES CREVETTES À POIL
COMME TORPILLE
QUI VEULENT TOUJOURS
JOUER AVEC LEUR BALLE.
ÇA C'EST VRAIMENT UN
GROS PROBLÈME !

— Toujours pas de réponse? Droit de réplique à votre adversaire, monsieur Pot de colle.

C'EST À MON TOUR. CREVETTE À POIL OU PÉNURIE DE BISCUITS ?

— Ohhhhhhh, dommage monsieur Pot de colle, votre temps est écoulé.

ZUT !

— Le plus grave problème de tous les temps, ce sont les demi-sœurs!

IL DIT N'IMPORTE QUOI ! ELLE N'EST PAS SI PIRE, CHARLOTTE. ELLE GROGNE, MAIS ELLE NE MORD PAS. ENFIN, JE PENSE.

Ne riez pas, je vous assure, c'est la bonne réponse. La preuve, la porte de ma chambre s'ouvre comme si une tornade était entrée sans frapper. Et qui apparaît avec son air de bœuf? Une demi-sœur! Pas n'importe laquelle, la mienne. Charlotte la carotte en personne.

— Qu'est-ce que t'as à dire contre les demi-sœurs?

Je devrais ajouter «les demi-sœurs enragées de façon permanente comme Charlotte».

— Tu veux participer à mon jeu-questionnaire?

Je pose la question même si je connais la réponse.

J'ignore seulement comment elle me parviendra. Voici un bref éventail des choix qui s'offrent à moi:

La réponse «Formule 1»: Charlotte refermer la porte aussi rapidement qu'elle l'a ouverte.

La réponse «Bouchez vos oreilles»: Elle crie des trucs qu'il est préférable de taire. Genre...

... des mots qu'il est défendu d'employer dans une production écrite sous peine d'aller rencontrer le directeur d'école à l'haleine de cheval. Et ça, personne ne veut se rendre jusque-là.

(En principe, on ne doit jamais commencer une phrase par « genre » même si plusieurs ados le font. Mais, puisque j'ai 10 ans et que l'adolescence approche à grands pas, je peux me le permettre une fois de temps à autre.)

La réponse « Pouvez-vous répéter la question ? » : C'est une tactique hyper-efficace utilisée par les concurrents des jeux-questionnaires afin d'avoir plus de temps pour penser à la réponse qu'ils vont donner.

La réponse « Je rêve ou quoi ? » Elle dit simplement : « Bien sûr mon beau p'tit Lau d'amour. » Ne perdez pas votre temps à réfléchir, aucune chance d'entendre quelque chose comme ça !

Charlotte est toujours là, les bras croisés.

— Mauvaise nouvelle, c'est moi qui te garde pendant les pédagos ! T'as intérêt à rester dans ton zoo, sinon...

Sinon quoi ? Je n'ai pas droit à la fin de sa phrase, qu'elle referme la porte et disparaît.

On peut presque dire que la réponse « Formule 1 » est la gagnante du jour.

Il n'en demeure pas moins qu'elle n'a toujours pas répondu clairement à la question de départ qui était pourtant simple : tu veux participer à mon jeu-questionnaire ? Perspicace comme je suis, je comprends que sa réponse veut dire :

Les pédagos ! J'ai longtemps cru que c'était la plus belle invention du calendrier scolaire, mais plus maintenant. Je vous le dis, depuis que je suis dans la classe d'Anne-Sophie, j'abolirais volontiers ces journées de congé forcé.

ABOLIR LES PÉDAGOS ?!
JE CROIS QUE MON AMI LAU S'EST COGNÉ
LA CABOCHE QUELQUE PART.

Anne-Sophie, elle est tellement... rayonnante. C'est ça, rayonnante comme un rayon de soleil qui brille en plein été. Je lui ai d'ailleurs proposé de l'aider durant ces deux jours de congé à nettoyer les tableaux, les bureaux, à corriger des dictées, je lui ai offert de jouer avec elle au soccer ou au mini-hockey, mais chaque fois elle a décliné mon offre. Il semblerait qu'elle ait des tas de réunions ces deux jours-là. Je suis donc allé présenter mes services à monsieur Clovis.

Malheureusement, je n'ai pas eu plus de chance de ce côté. Notre concierge a promis d'aller donner un coup de main à un collègue dans un autre établissement. Je veux bien passer mes pédagos à l'école, mais pas avec la secrétaire, madame Dion, tout de même! Elle me ferait travailler sans relâche et m'offrirait contre mon gré des cours de chant. Non merci, il y a des limites à aimer les pédagos. J'ai même suggéré au directeur de le remplacer comme inspecteur de la propreté. Cependant, je me suis rappelé qu'il m'aurait parlé de trop près et que sa mauvaise haleine m'aurait certainement donné un solide mal de cœur pour le reste de la journée.

Mosus de mosus, je me retrouve avec Charlotte comme gardienne! J'aurais préféré grand-maman Suzanne, mais elle habite trop loin. C'est toujours une joie de voir arriver ma grand-mère, les bras chargés de tartes, de biscuits, de repas que j'adore et que je dévore en un rien de temps. Je vais vivre l'enfer pendant deux jours avec ma demi-sœur, c'est sûr. Tant qu'à faire, j'aurais pu aller tenir compagnie à madame Fugère, la vieille grincheuse de la rue, que ç'aurait été moins pire. Tout le monde a une madame Fugère dans sa rue, par contre, elles ne portent pas toutes le nom de Fugère. La madame Fugère qui habite la rue de Charles-Lee s'appelle madame Dupré.

Les madames Fugère de ce monde sont encore plus grincheuses que mademoiselle Dion, la secrétaire chantante de mon école. Si on a le malheur de mettre un orteil sur un seul brin de gazon de leur parterre, elles se font un devoir de sortir sur le balcon et de nous crier d'arrêter de piétiner leurs fleurs ! Si Pot de colle a la mauvaise idée d'arroser un des poteaux électriques de leur rue, elles appellent les policiers pour se plaindre de vandalisme.

MAIS DES POTEAUX, ÇA SERT À ÇA, NON ?

En un mot, ce sont des personnes qui ont le don de l'exagération plutôt développé. Madame Fugère qui habite ma rue est déjà venue me garder. Comprenez bien qu'il s'agissait d'un cas d'urgence. Maman était absente et papa devait aller soigner un cheval blessé. À bout de ressources, mon père a contacté madame Fugère qui s'est amenée. Papa m'avait fait promettre de ne pas faire de bêtises et de ne pas lui jouer de mauvais tour. J'ai tenu promesse un bout de temps, mais avant la fin de la soirée, je n'ai pas pu m'empêcher de glisser quelques couleuvres en plastique dans sa sacoche. C'était juste pour la faire sourire, mais ça n'a pas fonctionné. En plus de ne pas sourire, elle a tenu à rappeler à papa que mes notions de bienséance étaient déficientes. Ce qui veut dire que j'étais, en quelque sorte, un petit tannant pas reposant ! Et elle a gardé mes couleuvres.

À bien y penser, madame Fugère ou Charlotte, c'est du pareil au même !

En fait, c'est « presque » du pareil au même parce que je persiste à penser que LE plus gros problème de tous les temps, c'est les demi-sœurs. J'ai moi-même eu la chance (peut-on réellement parler de chance ?) de tester ce que j'avance pendant 10 ans.

Croyez-moi, je sais de quoi je parle.

Cependant, il est essentiel de mentionner qu'il y a des exceptions. Anaïs St-Germain en est une. Anaïs est dans ma classe, et elle est la demi-sœur de Karl Gagnon qui est en cinquième année. Vous devriez les voir, ils arrivent à l'école ensemble et s'envoient la main avant de se diriger dans leur classe respective. Je les ai déjà vus jouer. Oui, JOUER ensemble! Et ils avaient l'air d'aimer ça! S'ils n'étaient pas demi-frère et demi-sœur, je dirais qu'ils sont de très bons amis.

Anaïs est vraiment un cas à part, mais je crois savoir pourquoi: elle n'est pas encore adolescente. Ce passage entre l'enfance et la vie adulte explique bien des choses. Ce n'est pas moi qui le dis, c'est maman et papa qui en parlent de cette façon lorsque l'ado leur cause des soucis.

J'imagine que si Charlotte a accepté d'être avec moi pendant les pédagos, c'est que maman lui a promis mer et monde. On suppose un nouveau fer plat, une séance de magasinage, plus d'argent de poche ou de quelque chose

d'archi-insignifiant qui rend les adolescentes souriantes l'instant d'une seconde ou deux. À moins qu'elle ait fait une bêtise et que sa conséquence soit de rester deux jours en ma compagnie. Mais ça me semble illogique car, dans les faits, c'est moi qui subirais la conséquence. Oublions les demi-sœurs et retournons à quelque chose d'intéressant : mon jeu-questionnaire.

LE LOT

— Mesdames et messieurs, nous voici de retour. Nous nous excusons de cette brève interruption causée par cette visite-surprise...

La porte s'ouvre à nouveau. Pas moyen d'avoir la paix et de jouer tranquille! Cette fois, ce n'est pas à la façon d'une tornade qu'elle s'est ouverte. Pourtant, il s'agit encore de l'intervention d'une demi-sœur. Toujours la même, malheureusement. Elle m'offre quelque chose et, surprise, ce n'est pas des insultes!

TOUJOURS PAS DE POP-CORN EN VUE!

Elle me tend une enveloppe qui contient... laissez-moi deviner... des billets pour aller voir un match de hockey? ou un spectacle d'humour? ou un paquet de 100 $? ou des insultes, mais écrites cette fois?

— Regarde ça. C'est ton programme pour les deux jours qu'on va passer ensemble. Tu vas t'amuser comme un p'tit fou.

C'est louche, Charlotte a presque l'air de bonne humeur. Entendons-nous bien, avant de repartir, elle ne m'a pas serré dans ses bras, ni replacé délicatement les cheveux et encore moins pincé affectueusement les joues en me donnant un p'tit bisou. Rien de tout ça. Cependant, elle n'affichait pas son air de bœuf d'adolescente. Je dirais même qu'elle avait dans le visage ce petit quelque chose de sympathique qu'on appelle un sourire. Oui, un sourire comme dans : j'ai hâte de passer du temps de qualité avec toi.

J'ai peut-être trop mangé de gâteau aux bananes. C'est quoi le rapport, direz-vous? Honnêtement, je ne sais pas trop, mais maman ne veut jamais que je mange du gâteau avant d'aller au lit, ce que j'ai fait hier soir. Elle dit que je risque de faire des cauchemars.

Alors peut-être que le gâteau aux bananes, en plus de provoquer des cauchemars, a le don de nous faire voir des sourires là où il ne devrait pas y en avoir.

Mais je n'en suis pas certain. Gâteau aux bananes ou pas, j'ai aperçu un sourire dans la face de Charlotte quand elle m'a tendu cette enveloppe. Ce qui laisse croire qu'une bonne nouvelle se cache dedans.

J'adore recevoir du courrier même s'il n'y a pas de timbre sur l'enveloppe. Pour faire durer le plaisir, j'expose l'enveloppe secrète de Charlotte à la lumière et tente de deviner ce qu'il y a à l'intérieur. Même avec une loupe on n'y voit rien.

— Messieurs dames, c'est le grand moment de dévoiler ce qui est dissimulé dans cette mystérieuse correspondance.

— Roulement de tambourrrrrr...

J'ouvre l'enveloppe. Je prends la feuille qui se trouve dedans et...

LA CHASSE AU TRÉSOR

Mosus de mosus. Rien. Une page blanche. Je jette un coup d'œil de l'autre côté. Ah, c'est là. Je lis. Un mot. Même pas une phrase. Je regarde encore dans l'enveloppe. Je la secoue, espérant trouver le reste de la phrase. Toujours rien. Il semble évident que Charlotte est à court de mots.

Je réfléchis. Je fais aller mes neurones. Je me creuse le ciboulot et je... fais une découverte

EXTRAORDINAIRE!

C'est un jeu. Une chasse au trésor. C'est ça, Charlotte organise une chasse au trésor pour amuser son gentil petit demi-frère. Qu'elle est mignonne, cette Charlotte! Moi qui pensais que les demi-sœurs n'étaient que des chipies de mauvaise humeur. Je me suis royalement trompé.

Donc, comme premier mot, j'ai :

chambre.

Amusant son petit jeu, mais il n'y a pas d'autre explication. Dois-je attendre les journées pédagogiques pour connaître les indices suivants ? Où dois-je chercher les mots manquants ? Charlotte aurait pu au moins m'en dire davantage. On voit qu'elle n'est pas habituée de jouer. Elle est meilleure dans la jasette, le chialage, les textos et l'utilisation du fer plat. Je n'ai d'autre choix que d'aller frapper à la porte de sa chambre afin d'en savoir plus sur cette mystérieuse chasse au trésor qui s'annonce palpitante.

D'un pas léger, le cœur en fête, l'esprit libre...

HUM...
JE SENS QUE LAU
S'EMBALLE UN PEU
TROP VITE.

... je vole vers ma demi-sœur préférée. Je sens qu'entre Charlotte et moi, quelque chose vient de naître. Quelque chose comme : une relation petit demi-frère, grande demi-sœur.

Pensez-y un peu, tout d'abord, elle m'a apporté une enveloppe en affichant un sourire. Bon d'accord, ce n'était pas un sourire comme celui d'une dame qui gagne un gros montant d'argent à la télé, mais c'était quand même un sourire. Puis, à la surprise générale, elle ne m'a pas traité de con en me la donnant. C'est signe que quelque chose de spécial risque de survenir. Finalement, qu'est-ce que j'ai trouvé dans cette enveloppe ? Le début d'une chasse au trésor. Elle sait que j'adore les chasses au trésor et elle a eu l'idée géniale d'en organiser une, juste pour moi. Je suis touché, ému par tant d'attention, moi qui croyais que la vie de Charlotte tournait autour d'elle-même et de son fer plat. Sachez qu'elle a un cœur, cette Charlotte, et que j'y ai une place de choix.

Me voici devant la porte de sa chambre. Je replace mes cheveux afin qu'elle voie mes yeux remplis d'étoiles. J'affiche mon plus beau sourire à mon tour pour lui exprimer tout mon amour, et je frappe délicatement à sa porte.

40

Vous avez compris que je suis l'être le plus patient de la planète Terre. Donc, après avoir usé toute ma patience et mes stratégies pour signaler ma présence, et croyant que Charlotte a les écouteurs sur les oreilles comme à son habitude, je frappe de nouveau mais, cette fois, un peu plus fort.

J'attends.
Je toussote.
Je sifflote...

JE ME COUCHE.

Bon d'accord, je vous épargne la suite. Néanmoins, je suis encore une fois, l'être le plus patient de la planète Terre.

QUOIIII?

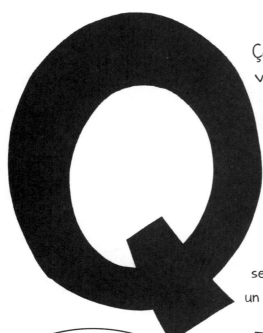

Ça c'est un QUOI qui vous fait sursauter d'au moins un mètre et qui fait faire à votre rythme cardiaque un bond de la première à la cinquième vitesse en l'espace d'une seconde. Erreur, en un quart de seconde !

DE RETOUR SUR MES QUATRE PATTES EN UN TEMPS RECORD !

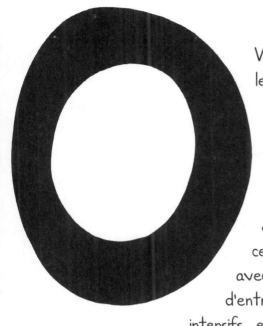

Vous aurez deviné que le QUOI provient de l'autre côté de la porte. Sûrement pas de mon bord, car il n'y a que moi et Pot de colle de ce côté-ci. Je suis à peu près certain que même avec des heures d'entraînements intensifs et des cours privés de chant d'opéra, je n'arriverais pas à lancer un QUOI semblable. Pour ce qui est de Pot de colle, inutile d'en parler. C'est à peine s'il est capable de faire un grrr digne de ce nom.

QU'EST-CE QU'IL A MON GRRR ? JE LE TROUVE TERRIFIANT, MOI !

Pas de doute possible, le QUOI est sorti de la bouche de Charlotte. Il aurait tout aussi bien pu sortir de la bouche de Barbara Opéra mais, avec sa stature... imposante, il serait surprenant qu'elle se soit retrouvée dans la chambre de ma demi-sœur sans que je l'aie vue passer.

Que répondre à ce QUOI? Je ne lui demanderai sûrement pas de répéter.

— Ben...

C'est tout ce que je trouve comme réponse. Un petit « ben... » timide. Pas fort! Bon, j'essaie de faire mieux.

— C'est que...

Un peu mieux, mais pas beaucoup! Je pourrais faire un effort et répondre quelque chose du genre: « Je viens à ta rencontre, car nous avons une nouvelle relation petit demi-frère, grande demi-sœur qui naît et je souhaite de tout cœur l'approfondir. Mais si cela ne te convient pas à cet instant, je pourrais très bien rebrousser chemin et revenir lorsque tu seras disponible. »

Ça sonnerait un peu faux, non?

— Je voulais savoir...

La porte de la chambre de Charlotte s'ouvre. Curieux, elle ne sourit plus. Comme si elle avait oublié que nous avions une relation qui naît. Pire, son air ressemble étrangement à l'air qu'elle avait il n'y a pas si longtemps. Vous vous rappelez? Son air de bœuf.

— Qu'est-ce que tu veux savoir?

Le ton n'est pas ce qu'il y a de plus favorable à l'établissement d'un rapport agréable et durable. Il est plutôt du genre : « Dépêche, je n'ai pas juste ça à faire ! » J'hésite, je tourne ma langue sept fois, je cherche mes mots, je regarde au plafond, je...

— Dépêche, je n'ai pas juste ça à faire, p'tit con !

J'avais oublié ce qualificatif qu'elle aime tant.

Je lui montre la feuille qu'elle m'a remise, croyant qu'elle sera heureuse de voir que je m'amuse comme un fou grâce à la course au trésor qu'elle m'a préparée.

— Je viens chercher le prochain indice.

Elle me regarde avec un gros point d'interrogation dans le front. Oui, oui, le même qu'on met au bout d'une phrase interrogative. Vous savez, ce point-là « ? ». Il n'est pas réellement imprimé dans son front, mais c'est tout comme. Je le vois, car je suis, comme vous le savez déjà, quelqu'un de perspicace, et un perspicace comme moi, ça voit ce genre de chose.

MOI AUSSI JE SUIS PERSPICACE ET J'AI BEAU REGARDER, JE NE VOIS RIEN DANS LE FRONT DE CHARLOTTE.

— L'indice de quoi?

Enfin un « quoi » plus normal.

Je montre du doigt son premier mot, CHAMBRE, croyant que le souvenir de la chasse au trésor lui reviendra. Je dois admettre cependant que le doute commence à s'emparer de moi. Et quand le doute s'empare de soi, ce n'est pas nécessairement que tout va pour le mieux.

— Tu sais pas lire! C'est écrit CHAMBRE. C-H-A-M-B-R-E. Si tu veux la définition, cherche dans le dictionnaire.

Elle a dit « dictionnaire »! Juste d'entendre le mot et mon estomac se coince.

Je crois comprendre que la relation de petit demi-frère, grande demi-sœur qui était en train de naître se meurt petit à petit. Je regarde attentivement et je ne vois plus son sourire de tantôt. Pire encore, Charlotte a les deux bras croisés. Selon un documentaire que m'a fait écouter Charles-Lee sur le langage non verbal, un documentaire quand même intéressant, ça voudrait dire : je ne suis pas trop disposé à jaser ou quelque chose du genre. De plus, si je me fie à mon doute de tantôt et à mon petit côté perspicace, un « disparais de ma vue » devrait arriver bientôt.

— Je sais ce que veut dire C-H-A-M-B-R-E, je veux seulement une indication pour trouver le prochain indice de la chasse au trésor. Tu sais, la chasse au trésor que tu as si gentiment préparée pour m'amuser ?

49

Son point d'interrogation est disparu. C'est un point d'exclamation qui apparaît maintenant sur son front. « T'es encore plus con que je pensais ! » Elle ne dit pas ça, c'est seulement pour vous montrer à quoi peut ressembler le « ! » dans le front de Charlotte.

— Ta chasse au trésor est terminée !

Je savais qu'il y avait un « ! » pas loin. J'étais juste moins certain de la phrase qui venait avant. Mais avouez qu'on reste dans le même ton.

— Je te l'ai dit, c'est ton programme pour les deux jours de pédagos qui s'en viennent. Si c'est écrit C-H-A-M-B-R-E, c'est que tu ne pourras pas sortir de là sans mon autorisation. C'est plus clair comme ça ?

QU'EST-CE QU'ILS ONT
À TOUJOURS ÉPELER
LE MOT « CHAMBRE » ?!

Je sens tout à coup que je me suis fait avoir et que ma perspicacité légendaire m'a laissé tomber au mauvais moment.

— Inquiète-toi pas...

Elle a beau être une adolescente souvent désagréable, ma demi-sœur, elle prend tout de même soin de me rassurer de temps en temps.

— ... t'auras droit à des sorties surveillées. Maintenant, disparais de ma vue !

Je savais qu'elle le dirait !

Sorties surveillées ! La belle affaire ! Deux visites max pour les toilettes, une demi-heure dans la cour pour ramasser les crottes de chats et de chiens des pensionnaires de la clinique vétérinaire de papa, et un saut à la cuisine le temps de faire la vaisselle. Wow, ça va être excitant !

Pour ceux qui ne sont pas aussi perspicace que moi, et je sais qu'il y en a beaucoup, le « wow, ça va être excitant » est ce qu'on appelle de l'ironie. J'ai fait preuve de courage et j'ai cherché moi-même dans le dictionnaire.

IRONIE : n. f. Forme d'esprit qui consiste à se moquer en disant le contraire de ce que l'on veut faire entendre.

En résumé, Charlotte n'a plus son sourire (à bien y penser, ça devait être plus un spasme musculaire de sa bouche qu'un sourire), notre nouvelle relation s'est envolée aussi vite qu'elle est apparue. Et pour ce qui est de la chasse au trésor, oubliez ça. Elle n'a existé que dans mon imagination trop débordante.

Charlotte promet de me faire des misères durant toutes les pédagos. En plus de me confiner dans ma chambre, elle projette de me faire manger du brocoli et...

... me promet des « sorties surveillées ».

Si je m'appelle vraiment Laurent Sansoucy, je ne vais pas me laisser faire. Réfléchissons. Je pourrais :
- faire une plainte officielle auprès de caporale-maman ;
- fuguer à l'autre bout du monde ;
- appeler d'urgence à la protection de la jeunesse ;
- déclencher une grève de la faim ;

PAS QUESTION !

- ou... me venger !

Si je veux que ça se règle vite, j'en parle à maman. Elle va remettre sa fe-fille à sa place en un tiers de seconde. Cependant, à 10 ans, je pourrais très bien faire preuve d'autonomie (ce qui est toujours bien vu dans ma famille et auprès de ma trop *hot* enseignante) et régler ce problème tout seul.

Si j'opte pour un choix de peureux, la fugue, je fais ma poule mouillée, je quitte la maison avec mon baluchon et...

EUH... MOI LÀ-DEDANS ?

... Pot de colle!

FIOU !

Sans oublier Jasmine et Torpille!

AH NON ! PAS CES DEUX-LÀ !

Sauf que... Laurent Sansoucy et poule mouillée, ça ne va pas ensemble.

Si je veux mettre Charlotte les culottes dans le trouble, j'appelle la protection de la jeunesse. Un monsieur sérieux va venir faire une enquête, questionner pendant des heures toute la famille, surveiller les allées et venues de Charlotte et s'apercevoir que je suis effectivement en danger. Le rapport du monsieur sérieux dira noir sur blanc qu'il est malsain pour un petit garçon de 10 ans de vivre avec une adolescente qui a un fer plat comme meilleur ami.

Toutefois, ça risque d'être long avant que ça aboutisse, car tout le monde sait que les monsieurs sérieux ne travaillent pas vite.

Si je veux perdre du poids, j'arrête de manger. C'est ça, une grève de la faim. Cela dit, entre vous et moi, celui qui a du poids à perdre ici, c'est Pot de colle.

Si je veux m'amuser et tourner ça à mon avantage, je dois opter pour la VENGEANCE!

Charlotte veut m'enfermer pendant deux jours? OK, mais d'ici là je vais lui en faire baver. Je dois absolument me mettre au travail et trouver une façon de lui montrer que je suis prêt à me défendre. Si elle croit m'impressionner avec son programme plate à mort des pédagos, elle se trompe! Moi, Laurent Sansoucy, je sais me défendre contre l'adversité. Et peu importe si l'adversité se nomme Jean-Sébastien St-Machin-St-Truc ou encore Charlotte la gibelotte, je ne me laisserai pas faire.

— Attention, je passe à l'offensive!

PLAN D'EAU

EUH...

DE VENGEANCE!

Bizarrement Charlotte a eu une bonne idée, soit celle de quitter la maison. Ce qui me donne tout le temps de bien penser à un plan pour me venger.

MON POP-CORN S'EN VIENT !

Je pourrais lui cacher son fer plat. Ça marche à tout coup. Elle devient hystérique jusqu'à ce que maman m'oblige à le sortir de sa cachette. Finalement, je dois m'excuser et jurer de ne plus recommencer. Soyons plus créatif.

Me terrer dans sa chambre et lui faire une bonne peur? N'y pensons même pas! Si elle m'attrape sur son territoire, je risque de me faire assassiner!

Appeler en renfort Charles-Lee et Marie-Pier ? Charles-Lee va me parler d'un documentaire inintéressant sur la beauté du dialogue pour régler les conflits de la planète en entier. Vous connaissez Marie-Brute, elle me proposera une des fameuses prises de lutte du Grand Antonius, son idole.

PIF PAF POUF!

MON POP-CORN EST PRESQUE PRÊT.

Ça, c'est l'éclair de génie qui vient d'illuminer mon cerveau. Je me suis rappelé qu'en pareille situation, il est d'une importance capitale de consulter un ouvrage que tous les gars de 10 ans devraient avoir sous la main. Surtout ceux qui ont une demi-sœur comme Charlotte. Et j'ai nommé: *Farces et attrapes tordantes*, tome 1, édition 2013.

Je vais chercher mon exemplaire et j'en survole les pages rapidement.

Page 5 : La bombe puante. Facile à préparer, elle vous surprendra par son odeur nauséabonde.

Je l'ai déjà utilisée et l'odeur est tellement nauséa... quelque chose, que j'ai eu mal au cœur pendant toute une journée.

Page 12 : Le sac à pets. Farce bruyante et heureusement sans odeur.

Celui que j'avais a littéralement explosé sous les fesses de Marie-Pier. N'allez pas croire que mon amie est trop lourde. Non. Le problème est probablement venu d'un défaut de fabrication.

Un peu plus loin se trouve une valeur sûre. Quelque chose qui fonctionne à tout coup.

Page 19 : Le seau d'eau. Truc rigolo pour ceux qui n'ont pas peur de se mouiller.

C'est facile, on installe le seau au-dessus de la porte d'entrée entrouverte et on attend. La personne entre et PLOUF ! L'eau lui tombe sur la tête, le visiteur est trempé et... tout le monde rit ! Sauf celui qui est mouillé quand il n'a pas le sens de l'humour.

C'est le plan de vengeance idéal. Je vais chercher une chaudière en plastique, de l'eau et hop ! Tout est prêt. Ne reste plus qu'à patienter. En attendant, quoi de mieux que de jouer un bon match de base-pop-corn avec mon fidèle ami Pot de colle ?

— Allez, Pot de colle. C'est moi le lanceur.

AH, ÇA Y EST,
MON POP-CORN
S'EN VIENT.

Y A QUELQU'UN
QUI POURRAIT RAPPELER
À LAU QUE LE POP-CORN
SERT À ÊTRE MANGÉ
ET NON À ÊTRE LANCÉ
COMME UNE BALLE
DE BASEBALL ?

— Nous voici au match tant attendu !

— Le lanceur des Étoiles Filantes se prépare à effectuer son lancer. Le frappeur, Big Pot de colle, des Terrifiants Gourmands, semble prêt.

C'EST QUI, CE BIG
POT DE COLLE ?

EUH...
IL N'A PAS ENCORE
FAIT UN SEUL
LANCER !

— Trois balles, deux prises.

— La tension est à son maximum.

MA PATIENCE AUSSI !

— Le lanceur se concentre. Il regarde sa cible.

ÇA DOIT ÊTRE MOI LA CIBLE.

— Il s'élance... Laisse partir son pop-corn...

GLUP ! EN PLEIN DANS LE MILLE !

— C'est une troiiiiiiiissssssssiiiiièèèèèèèème prrrrrrriiiiiise ! Victoire des Étoiles Filannnnnnntes !

Trop excité après ces lancers parfaits de pop-corn,
je me retourne et saute dans les bras de... Charlotte !

ENFIN,
JE PEUX PLONGER
DANS LE BOL.
TORPILLE, JASMINE,
TASSEZ-VOUS DE LÀ,
C'EST À MOI !

Si j'ai bien compris ce qu'on disait dans le fameux documentaire intitulé *Ces corps qui parlent* que Charles-Lee m'a fait écouter au sujet de la communication non verbale, Charlotte n'est aucunement intéressée à ce que je me retrouve dans ses bras. Mais on ne sait jamais, la communication non verbale n'est pas une science exacte.

— Décolle, p'tit con !

Cette fois, j'ai parfaitement saisi le message verbal de ma demi-sœur. Je dois quand même dire que j'ai appris plein de choses intéressantes en écoutant ce documentaire. En voici quelques exemples :

Quand Charlotte lit ce qui est écrit sur la boîte de céréales le matin, ce n'est pas pour s'instruire. Elle dit plutôt : « Foutez-moi la paix. »

Quand papa se gratte la tête avec son index, ce n'est pas qu'il a des poux dans la tête, c'est qu'il dit : « Je ne comprends pas. »

Quand maman me regarde sans rien dire un long moment, ce n'est pas qu'elle est dans la lune. Non, elle dit plutôt : « Ramasse ton dégât et vite. »

— T'as pas fini de faire des niaiseries ?

Ça c'est du verbal et ça dit vraiment ce que ça dit.

Je recule de trois pas et j'observe Charlotte. Je la fixe bien attentivement et je remarque qu'il n'y a chez elle rien de spécial. Spécial comme être ultra-méga-insultée d'avoir reçu une chaudière d'eau sur la tête et dire des choses du genre « je vais t'arracher les oreilles » ou

N'essayez pas de comprendre, c'est du langage codé ! Ce n'est rien d'autre qu'une série de mauvais mots. Faites un test, demandez à votre père de se donner un coup de marteau sur le pouce. Vous risquez d'entendre le langage codé ci-contre mentionné.

En temps normal, Charlotte crierait haut et fort qu'elle déménage pour le reste de sa vie chez son père et qu'avant cela elle fera de moi de la bouillie pour les chats. Elle ferait aussi l'effort de vouloir m'attraper (sans réussir comme la plupart du temps) afin de me faire subir les pires sévices. Bizarrement, il ne se passe rien de tout ça. Elle ne fait que me dévisager des pieds à la tête.

— Je te connais, Laurent Sansoucy, tu prépares un mauvais coup !

La Charlotte qui fait sa perspicace maintenant.

— Euh...

Quand on hésite trop longtemps avant de répondre, c'est comme si on se promenait avec une grosse pancarte affichant le mot COUPABLE. Je cherche à m'en sortir sans avoir l'air d'un parfait idiot.

— Un mauvais coup? Quel mauvais coup? Je ne sais pas de quoi tu parles. Tu parles du coup avec un P ou du cou sans P?

Ça ne fonctionne pas. Je m'enfonce un peu plus. Pour un gars qui se promène avec une grosse pancarte affichant le mot COUPABLE et qui cherche une façon rapide et efficace de faire disparaître le mot COUPABLE de cette mosus de pancarte, je suis lamentable! Je dois revoir ma stratégie et vite à part de ça. J'aurais dû me taire ou chanter une chanson country ou danser la claquette ou... faire n'importe quoi d'autre que de répondre une stupidité comme je viens de le faire.

Charlotte est toujours là. Tapant du pied, elle attend que je dise quelque chose et que je m'enfonce davantage.

Du coin de l'œil, je remarque que mon seau d'eau n'a pas bougé d'une goutte et qu'il est encore au-dessus de la porte. J'en conclus que Charlotte, toujours aussi désagréable, a décidé de faire foirer mon plan et d'entrer par la porte d'en avant au lieu de celle d'en arrière comme elle fait 9 fois sur 10. À moins qu'elle soit entrée par la fenêtre de sa chambre, mais ce n'est pas vraiment dans ses habitudes.

— Je t'ai à l'œil, Laurent Sansoucy! Si tu t'avises de me faire un mauvais coup, tu vas le regretter, qu'elle me lance avant de disparaître dans sa chambre.

Pour ceux qui se posent encore la question au sujet du cou avec ou sans P, on parle bel et bien du coup avec un P.

JE PEUX AVOIR D'AUTRE POP-CORN ?

Est-ce donc dire que le bon vieux truc du seau d'eau au-dessus de la porte ne fonctionne plus ? Qu'il est démodé ?

Pas du tout ! Il fonctionne encore très bien !

C'est juste que cette fois-ci, il y a un petit pépin.

Disons un MÉGAGROS pépin.

Tout s'est déroulé comme au ralenti. La porte s'est ouverte lentement. Le seau s'est mis à se balancer d'un côté, puis de l'autre. Quand j'ai vu ce qui se passait... trop tard! Le seau s'était renversé sur une tête! Pas celle de Charlotte, comme prévu. Celle de... Margarida!

Je suis paralysé. Là, devant moi... comment vous dire... il n'y a pas de mot pour décrire la scène... c'est que... le seau s'est renversé... et que...

J'ai une idée, au lieu de perdre mon temps à tenter de trouver les bons mots, je vais vous le dessiner. Comme ça, tout le monde va bien comprendre dans quel pétrin je me suis mis. Car je vous prie de me croire, c'est assez rare qu'un seau rempli d'eau tombe sur une tête et que...

... donc, une chevelure haute comme ça, euh non, plus haute encore! Une chaudière à l'envers ici, de l'eau autour et... toujours le même sourire. Je vous mets en garde, je n'ai pas le talent des grands illustrateurs de romans jeunesse, c'est seulement pour vous donner une idée. Tadam, voici le résultat!

Vous voyez? Impressionnant, hein? Imaginez, des litres d'eau n'arrivent même pas à aplatir un seul des cheveux de Margarida. On pourrait presque appeler ça un phénomène paranormal. C'est clair que Margarida utilise une quantité gigantesque de fixatif pour faire tenir ses cheveux de cette façon.

Vous vous demandez sans doute d'où sort cette Margarida qui vient d'entrer chez moi?

C'est la nouvelle flamme d'oncle Conrad. Flamme dans le sens d'amoureuse et non de feu.

— Bonjour, je suis heureuse de vous voir.

C'est la seule phrase qu'elle sait dire en français, mais en portugais, elle est dure à battre. Normal, elle est brésilienne. Pour ceux qui ne sont pas forts en géographie, ça veut dire qu'elle vient du Brésil, un pays d'Amérique du Sud. Et l'Amérique du Sud, c'est... quelque part dans le sud. Oncle Conrad dit qu'elle a déjà gagné un concours de beauté dans son pays natal. Ça doit faire terriblement longtemps, si vous voulez mon avis.

La pauvre Margarida est clouée sur place, trempée comme si un orage l'avait frappé de plein fouet, la chaudière sur la tête.

HI ! HI ! HI !
ÇA LUI FAIT TOUT
UN CHAPEAU !

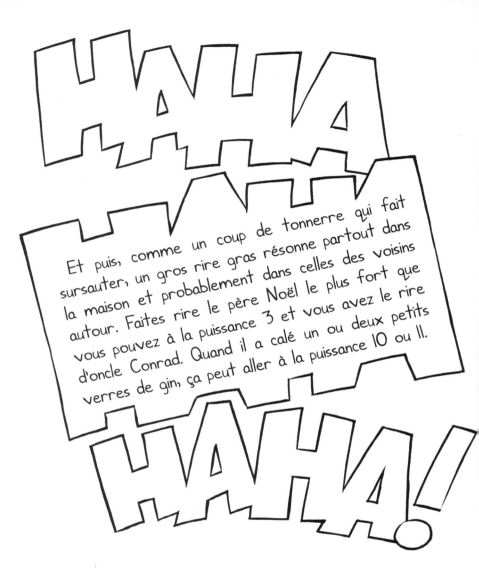

Et puis, comme un coup de tonnerre qui fait sursauter, un gros rire gras résonne partout dans la maison et probablement dans celles des voisins autour. Faites rire le père Noël le plus fort que vous pouvez à la puissance 3 et vous avez le rire d'oncle Conrad. Quand il a calé un ou deux petits verres de gin, ça peut aller à la puissance 10 ou 11.

Le voilà qui entre.

— Un vrai champion pour jouer des tours! On voit bien qu'on est de la même famille.

En fait, oncle Conrad n'est pas vraiment mon oncle. C'est mon grand-oncle. Ce n'est pas qu'il soit grand, non, c'est plutôt le contraire même. Il est petit et rond ou gros pour être plus précis. Je l'appelle oncle Conrad, mais c'est d'abord et avant tout l'oncle de papa.

GRAND, PETIT, ROND OU GROS ?
ON NE PEUT SÛREMENT PAS ÊTRE
TOUT ÇA EN MÊME TEMPS.

Pour le décrire physiquement, vous n'avez qu'à prendre une boule de quille, une grosse ferait l'affaire, à lui coller un nez, une grosse orange de la Floride serait parfaite, une bouche, deux yeux, des oreilles et quelques poils sur le dessus. Pour le corps, pensez au plus gros bonhomme de neige que vous avez vu dans votre vie. Finalement, les bras et les jambes peuvent être remplacés par des gros troncs d'arbres, mais très courts. Vous avez maintenant, devant vous, oncle Conrad.

Ah oui, j'oubliais, il faut ajouter des brillants autour des poignets, du cou (sans le p) et des doigts. Maman dit qu'oncle Conrad met des bijoux qui scintillent le plus possible pour faire croire à tout le monde qu'il est riche à craquer. Sauf que, dans le fond, ses bijoux n'ont aucune valeur. Ça ne l'empêche pas d'être l'oncle le plus original, le plus sympathique et le plus rigolo du monde.

— Euh... oncle Conrad, tu voudrais bien me déposer par terre ?

IL EST PEUT-ÊTRE TEMPS QUE JE FASSE UN GRRR AFIN QUE CE MONSIEUR GRAND, ROND, GROS, PETIT, SCINTILLANT LÂCHE MON LAU. GRRR...

Ce que je ne vous ai pas encore dit au sujet d'oncle Conrad, c'est qu'il est ancien champion homme fort de son comté et qu'il oublie parfois que je ne suis pas un poids à lever, mais plutôt un garçon de 10 ans qui préfère avoir les pieds sur terre. Chaque fois qu'il me voit, il est super heureux et me soulève au bout de son petit bras droit. Un peu comme le gars qui soulève sa partenaire en patinage artistique. Ouin... patinage artistique et oncle Conrad, ça ne va pas vraiment ensemble !

De retour sur terre...

IL A EU PEUR
DE MON GRRR...

... je ne peux que constater le dégât autour de et sur Margarida. Je la regarde et je m'efforce de lui sourire timidement.

— C'était pour... ma demi-sœur Charlotte. Je suis... vraiment... désolé !

Malaise, je vous dis. Heureusement, la ruche d'abeilles qui lui sert de chevelure semble intacte.

— Bonjour, je suis heureuse de vous voir.

Comme je vous disais, elle ne parle que le portugais, même si elle ne vient pas du Portugal. Peut-être qu'avec une chaudière sur la tête et trempée des cheveux aux pieds, elle est un peu moins heureuse, mais ça ne paraît pas. Elle a le même sourire que la dernière fois où je l'ai rencontrée, quoiqu'un peu plus crispé qu'à l'habitude.

Oncle Conrad, lui, me trouve super drôle.

— Le seau d'eau au-dessus de la porte, c'est un classique, hein mon Lau !

J'en suis moins certain, tout à coup.

— Lau, j'ai quelques surprises pour toi.

Il est comme ça, oncle Conrad. Toujours une surprise pour moi. La dernière fois, il avait apporté une boîte de pétards. Lui et moi avions eu la mauvaise idée d'en allumer un dans la maison. Oncle Conrad était convaincu que ce n'était que des petits pétards inoffensifs qui ne faisaient qu'un petit «pout». Or, le petit «pout» s'est rapidement transformé en une pétarade spectaculaire. Oncle Conrad s'était trompé de boîte!

LÉGER DÉTAIL...

Le pétard en question était, en fait, un super feu d'artifice.

J'AI FAILLI PASSER AU FEU.

Maman était furieuse et mes feux d'artifice ont été confisqués jusqu'à nouvel ordre.

EXCELLENTE IDÉE !

— Une belle fronde. Une pièce de ma propre collection.

Wow, une fronde! C'est vrai qu'elle est vraiment belle. Tout en bois, avec une tête d'Indien sculptée dans le haut du manche.

— En 52, j'étais dans un village perdu de l'Abitibi et....

ÇA Y EST, C'EST LE TEMPS DE MA SIESTE !

Oncle Conrad a toujours une histoire abracadabrante (pas tout à fait véridique) et interminable au sujet de ses exploits d'homme fort. Ce n'est pas inintéressant mais, comme dirait papa, il faut en prendre et en laisser. À force de les entendre, je m'aperçois que toutes les histoires d'oncle Conrad se ressemblent. Des jours c'est la date ou l'endroit qui change, cependant l'histoire se termine toujours de la même façon : mon oncle Conrad est un héros. Évidemment, on ne connaît personne qui a été témoin d'un de ses exploits, mais ce n'est pas vraiment important.

Avertissement : Ce qui suit est fort probablement le fruit de l'imagination d'oncle Conrad en manque de célébrité. Ceux que ça n'intéresse pas, passez au point A. Ceux que ça intéresse, allez directement au point B.

POINT

Si vous lisez ceci, c'est que vous n'êtes pas intéressé à l'histoire abracadabrante de l'oncle Conrad. Voici donc ce que je vous propose : au lieu de sauter des pages, faites semblant de lire, jusqu'à ce que vous arriviez à la phrase : « Revenons-en aux surprises d'oncle Conrad. »

Faire semblant de lire, c'est un truc que j'ai utilisé de temps à autre quand, par les années passées, mes enseignantes m'obligeaient à lire un texte archinul, comme un roman avec des princesses ou un livre sur les oiseaux migrateurs de l'Asie. Je n'ai rien contre les princesses ni les oiseaux migrateurs et encore moins contre l'Asie, mais je préfère, et de loin, les histoires de blagues ou de devinettes.

Voici un exemple de devinette : qu'est-ce qui est vert, qui monte et qui descend ? (J'aurais pu ajouter qui est petit, de forme ronde, qui est de la famille des légumes et qui habituellement ne monte pas et ne descend pas non plus, mais quand on pose une devinette il est préférable de ne pas trop en dire, sinon la blague risque de tomber à plat.)

Je vous laisse cinq minutes pour trouver la réponse...

Trop long, deux minutes...

Encore trop long. Après tout, on n'a pas toute la journée ! Alors voici, c'est un petit pois vert dans un ascenseur !

Bon d'accord, elles ne sont pas toutes hyper-drôles mes devinettes, mais c'est la première qui m'est venue en tête. Quand je l'ai racontée pendant un souper, papa, maman et Charlotte m'ont fixé un long moment, sans aucune expression dans le visage. Pas même un demi-sourire. J'ai cru qu'ils avaient besoin d'un supplément d'explications pour bien en saisir le sens, alors j'ai pris entre mes doigts un des pois qui se trouvaient dans mon assiette et je lui ai fait faire le mouvement de haut en bas et de bas en haut. Évidemment, je n'avais pas d'ascenseur mais, selon moi, ma démonstration était parfaite. Voyant qu'ils ne réagissaient toujours pas, j'ai voulu la raconter à nouveau, mais avant même que j'aie eu le temps de terminer mon deuxième mot, ils ont répondu en chœur :

— On a compris !

Charlotte n'a pu s'empê-cher d'ajouter « idiot ». Fin de ma devinette et de mon imitation d'ascenseur !

Trêve de plaisanteries. Revenons-en à mon truc pour faire semblant de lire. D'abord, ce n'est pas aussi simple que ça en a l'air. En fait, c'est presque un art. J'avoue qu'il m'a fallu un certain temps pour bien maîtriser la technique. Voici en quoi elle consiste.

Tout d'abord, les yeux doivent bouger un peu. Autant que possible de gauche à droite. Pensez-y, c'est plutôt rare qu'on lise de haut en bas, de bas en haut ou de droite à gauche. Avec un peu de pratique on arrive à trouver la bonne vitesse et à avoir l'air tout à fait intéressé par n'importe quelles histoires, même si elles parlent de princesses.

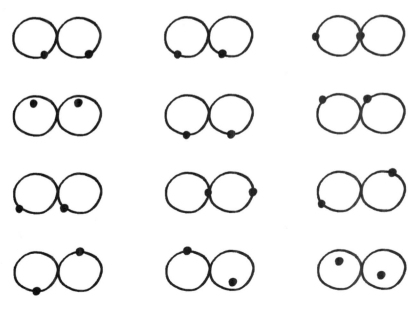

Ensuite, il est primordial, sinon essentiel ou plutôt crucial, pour ne pas dire de la plus haute importance, de tenir son bouquin du bon côté. Je vous entends rouspéter. « C'est évident ! » pensez-vous. Peut-être pour vous, mais sachez que Charles-Lee, dont le talent s'observe davantage dans les trucs scientifiques, a fait l'erreur l'an dernier. Il pourrait vous en parler longuement. Trop nerveux le pauvre Charles-Lee et peu habitué à ce genre d'exercice, il tenait son livre à l'envers. Et ce qui a compliqué les choses, c'est qu'il était tout en sueur et tremblait comme un gars-pas-habitué-de-faire-semblant-de-lire-et-qui-a-peur-de-se-faire-prendre.

On aurait dit qu'il faisait tout pour attirer l'attention, alors que c'est le contraire qu'il faut faire.

Notre enseignante de troisième année s'est rapidement rendu compte qu'il y avait quelque chose de bizarre dans l'attitude de Charles-Lee. Quand elle lui a signalé que son livre était à l'envers, il a juré de ne plus jamais recommencer. Pas fort! Il a plein de qualités, mon meilleur ami, mais pour ce qui est de jouer des tours, il ne l'a pas vraiment.

Il est très important de prendre l'attitude « je fais semblant de lire et j'aime ça ». C'est simple, suffit d'avoir l'air heureux. Pas obligé de l'être réellement.

LE BON CÔTÉ DES CHOSES

Pour plus de crédibilité, il est préférable d'afficher un petit sourire. Quelque chose de discret, mais pas trop. Vous n'êtes quand même pas dans une émission de décoration à la télévision. Je fais le même sourire quand tante Margot insiste pour que je prenne un carré de sucre à la crème. C'est bon du sucre à la crème, toutefois celui de tante Margot est aussi dur que de la roche. Je m'efforce de sourire, même si c'est une épreuve difficile. Je choisis le plus petit morceau et subtilement...

IL ME LE DONNE TOUJOURS.
C'EST VRAI QU'IL EST ENCORE
PLUS DUR QUE MON OS,
CE SACRÉ SUCRE À LA CRÈME.
C'EST DUR, ÇA !

... je le donne à Pot de colle qui s'amuse à le gruger en cachette.

Heureusement, tante Margot fait du sucre à la crème une seule fois par année.

Finalement, si vous voulez être un pro dans le « je fais semblant de lire et j'aime ça », vous devez absolument tourner la page une fois de temps en temps. Ainsi donc, si vous suivez toutes ces étapes dans l'ordre ou le désordre, vous pourrez vous considérer comme un professionnel dans le « faire semblant de lire ».

FIN DU POINT A

POINT

(Pour ceux qui ont envie de connaître l'histoire pas possible de l'oncle Conrad. Je ne vous en fait quand même qu'un résumé.)

Son histoire commence donc par :
— En 52, j'étais dans un village perdu de l'Abitibi et...
Précisons qu'en 1952, oncle Conrad avait quatre ans. C'est une partie abracadabrante de l'histoire. Je n'en fais pas de cas car, si je souligne mon doute, il risque de refaire ses calculs et d'allonger la durée de son histoire déjà trop longue. Pour ce qui est du reste, sachez qu'il a gagné, comme d'habitude, le concours d'homme fort et qu'avec la fronde qu'il me remet, il a assommé un orignal qui fonçait droit sur lui. Rien de moins ! Puis, dans un élan d'allégresse, la foule l'a soulevé de terre avant de lui décerner une médaille de bravoure et, finalement, il fut proclamé héros municipal du village.
Fin du résumé de l'histoire !

Si vous préférez la version longue, fouillez dans des livres gros comme ça à la bibliothèque, où le mot « légendes » figure dans le titre. Vos chances de tomber sur une des histoires d'oncle Conrad sont excellentes.

FIN DU POINT

Revenons aux surprises d'oncle Conrad. Et surtout, cessez de faire semblant de lire !

La première était donc la fronde. La deuxième est, disons... surprenante !

— Je t'invite à faire du sport avec ton oncle Conrad.

Oncle Conrad m'invite à faire du sport ?! Bien qu'il ait été un tantinet haltérophile il y a de ça plusieurs années, le seul sport que pratique oncle Conrad depuis ce temps s'appelle « assis ("évaché" serait peut-être plus approprié) dans son gros fauteuil moelleux devant un match à la télé ».

Regardons le bon côté des choses. Peut-être qu'il souhaite m'inviter à assister à un match des Canadiens ou à aller voir le fameux quart-arrière Tom Brady aux États-Unis? À moins qu'on aille jouer au bingo ou à la pétanque...

— Mon Lau, je t'emmène à la pêche, qu'il m'annonce fièrement.

La pêche! C'est bien ce que je croyais. Pour moi, c'est plus une activité qu'un sport.

Définition du mot «sport» selon Laurent Sansoucy: Là où ça bouge, ça sue, ça pue, ça saute, ça pousse, devant une foule qui crie et qui encourage les participants.

Définition du mot «sport» selon oncle Conrad: Là où on est assis sur nos fesses, à regarder les autres bouger, là où on attend qu'il se passe quelque chose devant la foule constituée d'arbres et de moustiques.

— Regarde ce que j'ai pour toi.

Une canne à pêche ! Une belle à part de ça.

— Merci, oncle Conrad. Mais... je n'ai jamais pêché de ma vie.

— Je sais, mon Lau. Je vais tout te montrer. Tu as devant toi un ancien champion de pêche. Un jour...

Une histoire de pêche maintenant ! Un autre exploit inusité de l'oncle Conrad. Je parie qu'il a capturé un crocodile de sa main gauche pendant qu'il lançait sa ligne à l'eau de sa main droite. Je vous fais grâce de son nouvel exploit, car ce qu'il importe de savoir, c'est qu'oncle Conrad a réservé un coin de paradis pour une mémorable partie de pêche. Un chalet sept étoiles.

— Un vrai château ! a dit oncle Conrad, tout près d'un lac rempli de poissons.

Sauvé! Pas de Charlotte pendant les deux jours de pédagos!

ET MOI DANS TOUT ÇA ?

Maman arrive. Je m'empresse de lui annoncer la super-méga-trop-*hot* nouvelle.

— Maman! Je m'en vais faire une acti... euh, du sport avec oncle Conrad!

— Du sport? Avec oncle Conrad?

Elle aussi est surprise que « sport » et « Conrad » soient dans la même phrase. Mais elle comprend mieux quand je lui précise que je vais à la pêche. Puis, après avoir salué nos invités et tout en se frottant la bedaine qui contient ma sœur Agathe, son regard s'arrête sur Margarida.

— Je peux savoir ce que Margarida fait avec une chaudière sur la tête ?

— C'est un p'tit tour de mon Lau, s'exclame oncle Conrad avant de me prendre à bout de bras une fois de plus.

OH ! OH ! JE DOIS INTERVENIR AUPRÈS DU PETIT GRAND MONSIEUR TROP ROND ET GROS. GRRR... LÂCHE MON LAU, MONSIEUR LE BRILLANT !

— Bonjour, je suis heureuse de vous voir.

Fi... ou ! Margarida est... encore et... toujours heureuse de... nous voir ! Je... crois que... caporale-maman veut... quand même... quelques... explications.

J'atterris enfin. Un peu étourdi, mais vivant.

LE GROS MONSIEUR
A EU PEUR DE MOI !

— Euh... c'est que...

Heureusement, maman est tellement enceinte et fatiguée par les temps qui courent, qu'elle se masse les tempes, commence à bâiller et...

— Lau... moins fort!

Sauvé!

— Je vais me coucher.

MOI AUSSI !

J'AI PÊCHÉ...

ÇA

HIP, HIP, HIP! HOURRA!

Oncle Conrad a accepté que Charles-Lee et Marie-Pier nous accompagnent à la pêche. Il n'a pas été difficile à convaincre.

— Plus on est de fous, plus on rit, qu'il a dit.

Encore un dodo et c'est le grand départ pour le paradis de la pêche. Demain, puisque l'oncle Conrad sera là dès l'aube, Charles-Lee et Marie-Pier passent la nuit chez moi. Avec tous les bagages entassés un peu partout, ma chambre ressemble à un véritable campement.

Charles-Lee est *full* équipé. Il a un chapeau à moustiquaire, de vraies bottes de pêche et une série de revues sur les différents poissons. Installé confortablement dans mon hamac, il se croit dans l'obligation de nous instruire sur le sujet.

— Chavez-vous que le brochet pochède pluchieurs chentaines de dents pointues et coupantes ?

Non! Et on s'en fout un peu! Mais je garde ma réponse dans ma tête, car je ne veux pas vexer mon meilleur ami. Ce n'est qu'une information parmi tant d'autres. On apprend également que la truite arc-en-ciel est originaire de la côte ouest des États-Unis et que l'esturgeon peut peser jusqu'à 200 kilos. Charles-Lee ne se contente pas de nous faire la lecture, il nous montre les illustrations des différentes espèces afin qu'on puisse les reconnaître. On se croirait dans un cours de sciences, mais moins intéressant que ceux offerts par ma charmante enseignante, Anne-Sophie. Je la trouve tellement intéressante, Anne-Sophie, qu'elle donnerait un cours sur la psychologie du tarsier, que je trouverais ça passionnant!

De son côté, Marie-Pier a laissé son look de fille pour emprunter celui de redoutable pêcheuse. En effet, avec sa casquette, son immense filet et surtout son marteau (oui, oui, elle a bel et bien apporté un marteau), Marie-Pier est d'attaque pour capturer de gros poissons.

— C'est pour les assommer.

La technique de l'assommoir : une technique de pêche que je ne connaissais pas et qui est probablement unique à Marie-Brute.

Je suis quand même surpris qu'elle ne nous montre pas une prise de lutte qu'elle a imaginée pour immobiliser ses prises avant de les assommer. J'imagine facilement Marie-Pier, Marie-Brute dans ce cas-là, saisir le poisson, le placer sous son aisselle avant de le propulser haut dans les airs et finalement le rattraper avec sa bouche. Je vous garantis qu'après cela, le poisson n'osera plus gigoter !

De mon côté, je m'entraîne à la chasse. On ne sait jamais devant qui ou quoi on peut se retrouver dans une pareille expédition. Je me concentre... Je retiens mon souffle... Je vise...

— Prêt ? Feu !

Mosus de mosus, encore raté. Pas facile d'être précis avec une fronde.

ON NE POURRAIT PAS DORMIR À LA PLACE, IL ME SEMBLE QU'IL EST TARD POUR LA CHASSE ? ! IL VA FINIR PAR TUER QUELQU'UN AVEC ÇA !

— Laiche-moi echayer, Lau. Dans chun documentaire que j'ai vu, le chacheur prenait chon temps avant de chortir cha fronde. Cha lui permettait de vichualicher cha chible.

Avez-vous compris quelque chose, vous ? Traduction express : Charles-Lee veut essayer ma fronde.

Évidemment, mon ami se croit un grand chasseur grâce à un foutu documentaire. Pendant qu'il visualise sa cible...

(Information de la plus haute importance : la cible est la balle de Torpille qui a été déposée avec un bout de gommette sur la casquette de Marie-Pier. Jusqu'ici, tout va comme sur des roulettes, mais il est quand même nécessaire de préciser que la casquette est toujours sur la tête de mon imperturbable amie. Connaissant les habiletés de Charles-Lee, le risque d'accident est assurément très élevé.)

ON DEVRAIT PRENDRE TORPILLE COMME CIBLE. HI ! HI ! HI !

J'en profite pour saisir ma nouvelle canne à pêche, déterminé à attraper un morceau de linge sale dans le panier que maman a oublié au pied de mon lit. Silence s'il vous plaît, ça demande beaucoup de concentration. Je lance ma ligne au-dessus du panier.

— Torpille, sois patiente, tu vas récupérer ta balle dans un instant ou deux.

Oncle Conrad dit qu'un bon pêcheur doit faire preuve de sang-froid et d'habiletés motrices hors du commun. L'heure est grave. Il y a beaucoup de tension dans l'air. Je sens maintenant que j'y arrive. Oups, raté! Je m'éloigne. Je recommence. Mon crochet approche... ça y est, j'ai quelque chose! Un vrai champion pêcheur que ce Lau. Attention, retenez votre souffle. Oncle Conrad dit aussi que lorsqu'on sent quelque chose au bout de sa ligne, c'est le moment fatidique. Au moindre faux mouvement, le poisson disparaît et tout est à recommencer. Je prends une grande inspiration et...

ET QUOI?!

— ... je tire!

Comme vous le savez déjà, ma demi-sœur Charlotte a plusieurs gros défauts. Impatiente, chialeuse à l'extrême, affichant en permanence un air de bœuf, centrée sur sa personne et son fer plat, adolescente et j'en passe. Bien sûr, elle a des qualités comme tout le monde. On n'a qu'à penser à... euh... voyons... Peu importe, j'y reviendrai plus tard. Mais son défaut numéro 1, ces temps-ci, est de surgir de nulle part au mauvais moment, comme elle vient justement de le faire.

Mosus de mosus! Ce n'est pas ça qui devait arriver, alors là, pas du tout!

Les événements se sont précipités, voici comment ça s'est passé.

ÉVÉNEMENT NUMÉRO 1

Je réussis à attraper un morceau de linge sale avec ma canne à pêche, mais... ô surprise ! ou plutôt, ô catastrophe ! le morceau en question est un soutien-gorge appartenant à Charlotte ! Je n'aurais pas pu tomber sur un vieux bas sale de papa ? Non, il a fallu que ce soit un morceau appartenant à Charlotte, et pas n'importe lequel.

ÉVÉNEMENT NUMÉRO 2

Au même moment, la porte de ma chambre s'ouvre.

ÉVÉNEMENT NUMÉRO 3

Ma demi-sœur apparaît dans le cadre de porte avec son air de bœuf.

ÉVÉNEMENT NUMÉRO 4

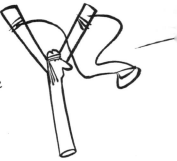

Dans son énervement, Charles-Lee laisse partir son tir.

ÉVÉNEMENT NUMÉRO 5

Malgré sa visualisation, mon ami rate sa cible. Entre vous et moi, ce n'est pas surprenant. C'était même hautement prévisible. Ce qui l'était moins, c'est qu'il provoque l'événement numéro 6.

ÉVÉNEMENT NUMÉRO 6

Charlotte reçoit le projectile, heureusement une simple boulette de papier, directement dans l'œil.

ÉVÉNEMENT NUMÉRO 7

Charlotte crie :

AYOYE!

ÉVÉNEMENT NUMÉRO **8**

Avec l'autre œil, car elle en a un deuxième comme la plupart des gens, ma demi-sœur remarque son soutien-gorge accroché au bout de ma canne à pêche.

ÉVÉNEMENT NUMÉRO **9**

On sent Charlotte devenir... tendue. Terme poli qui pourrait se traduire par : devenir en &%$*#%$?#!

ÉVÉNEMENT NUMÉRO **10**

Je suis dans le

ÉVÉNEMENT NUMÉRO 11 :
TORPILLE TOURNE
AUTOUR DE MARIE-BRUTE
QUI A TOUJOURS LA BALLE
SUR SA CASQUETTE
ET QUI N'OSE PAS
BOUGER

LAURENT SANSOUCY!!!

On croirait Barbara Opéra qui prend les présences dans sa classe un lundi matin.

Je ne sais pas comment ça se passe chez vous mais, chez moi, quand un membre de ma propre famille prend le temps de m'appeler par mon nom au grand complet, ce n'est jamais bon signe.

— Tu fais quoi avec ÇA?!

Pas de doute, Charlotte est fâchée. Euh, non, en colère ou plutôt en furie ou... connaissez-vous un mot qui veut dire plus furie que furie? Si oui, prenez celui-là. Je le vois dans son non-verbal. Quand une personne a de la boucane qui lui sort par les oreilles, qu'elle est rouge tomate, qu'elle a les yeux sortis de leurs orbites, c'est qu'elle est vraiment, beaucoup, extra-gros... en furie!

Je suis vraiment un pro dans l'interprétation du langage non verbal. Je dois admettre que c'est relativement facile avec ma demi-sœur, puisqu'elle est du type qui favorise ce genre de langage plutôt que le verbal.

MOI, JE SUIS DU TYPE « CHIEN QUI VEUT DORMIR » !

Alors que la situation est critique, tout ce que trouve à faire mon supposé meilleur ami Charles-Lee, c'est de rester dans son coin et de se retenir de rire. Je ne sais pas si vous avez remarqué mais, dans les pires moments de ma vie, il n'est d'aucune aide. Soit il rit, soit il essuie ses lunettes. C'est certain que ce n'est pas tous les jours qu'on voit un soutien-gorge de Charlotte flotter au bout d'une ligne à pêche. La situation pourrait, je dis bien pourrait, être cocasse, mais en raison de la présence de la principale intéressée et de son sens de l'humour limité, elle est loin de l'être. De son côté, fidèle à son habitude, Marie-Pier est imperturbable.

— Qu'est-ce qui se passe ici?

Voici que papa s'en mêle.

— LAURENT SANSOUCY...

Le langage verbal de Charlotte confirme son état. Pas de doute, c'est un LAURENT SANSOUCY sorti droit de la bouche d'une personne en furie extrême.

— ... s'amuse avec... ÇA!

«Ça» étant son sous-vêtement qu'elle pointe du doigt.

J'ai beau expliquer que je ne fais que m'entraîner pour la pêche, qu'il s'agit d'un malheureux incident et qu'en aucun moment je ne voudrais m'amuser avec le soutien-gorge rose à pois verts de ma charmante demi-sœur, mais je sens Charlotte prête à me suspendre au bout de ma ligne à pêche.

Quand elle a décoché le fameux et problématique « ça », papa me rappelle qu'il est près de minuit et que l'entraînement peut attendre.

De sa chambre, caporale-maman y va de son légendaire et retentissant :

— Lau, dodo !

MISSION
URGENTE
ET
DANGEREUSE

Après avoir reçu l'ordre de caporale-maman, trop heureux d'être encore en vie, je me suis empressé de disparaître sous mes couvertures pendant que Charles-Lee et Marie-Pier, comprenant que la situation était pour le moins délicate, se sont camouflés dans leurs sacs de couchage sans dire un mot. Finalement, les secondes ont passé, les minutes se sont écoulées, le calme est revenu.

Puis soudain, arrivant de nulle part :

CAUCHEMAR

L'image d'oncle Conrad m'apparaît. D'un bond je me lève !

IL FAIT UN
CAUCHEMAR
OU QUOI ?!

— Charles-Lee! Marie-Pier! J'ai vu oncle Conrad!

C'EST UN CAUCHEMAR !

Charles-Lee cherche ses lunettes pendant que Marie-Pier dort à poings fermés. Je la secoue pour la ramener à la vie. Elle grogne des trucs incompréhensibles, puis ouvre finalement un œil.

— Debout et ça presse! On a oublié quelque chose de très important pour notre partie de pêche. Quelque chose d'absolument essentiel pour attraper des poissons. On a oublié les vers de terre!

Oncle Conrad m'avait pourtant prévenu. Pour nous assurer d'une partie de pêche quasi miraculeuse, il faut des vers de terre, beaucoup de vers de terre. Tout ce que j'avais en tête, quand il m'a demandé d'en ramasser, c'était ma fronde et ma nouvelle canne à pêche.

Il est maintenant 1 h 18 et notre départ est prévu pour 5 h. Il n'y a donc pas une minute à perdre. Une mission des plus urgentes et dangereuses nous attend, mes amis et moi. Le défi est grand : sortir de la maison et aller creuser dans la cour afin de récupérer de longs et appétissants vers de terre – entendons-nous bien, appétissants pour les poissons. Tout ça, sans éveiller le moindre soupçon chez mes parents et, surtout, sans réveiller ma demi-sœur qui doit encore être en furie contre moi. Elle est comme ça, Charlotte, c'est une rancunière.

— Chi tu veux mon avis, on pourrait attendre à demain matin.

— On est déjà demain matin, Charles-Lee, et on n'a pas le temps d'attendre. De toute façon, tout le monde sait qu'il est plus facile de trouver de beaux gros vers de terre la nuit.

Charles-Lee armé (le mot est peut-être fort; c'est pour que vous saisissiez bien la tension liée à notre mission) d'une lampe frontale, Marie-Pier de son marteau et moi d'une lampe de poche, nous sortons de ma chambre en rampant. C'est le silence presque complet dans la maison. Il n'y a que Torpille qui tourne autour de nous, heureuse d'avoir récupéré sa balle, et Jasmine, ma chatte, qui ronronne à côté de son bol. Pot de colle, qui a compris qu'il valait mieux être discret, reste couché dans mon lit.

BON, ÇA Y EST !
UN NOUVEAU JEU
QUI LES METTRA
DANS LE TROUBLE,
J'EN SUIS
CERTAIN.

Comme de vrais espions au cinéma, nous rampons le long du corridor. Obstacle droit devant : la chambre de Charlotte. Un faux mouvement, un bruit, un craquement de plancher, un toussotement, un clignement des yeux sonore (pas certain que ça existe, mais bon...) et nous sommes cuits ! Nous tendons l'oreille vers sa chambre afin d'être certains qu'elle dort sur ses deux oreilles et non pas sur une seule.

Je vous rassure tout de suite, ce n'est pas un mot que votre enseignante va vous demander à votre prochaine dictée. C'est seulement un mot inventé par Charlotte. Elle parle dans son sommeil. La plupart du temps, c'est archi-incompréhensible. Pendant que Charles-Lee est prêt à décamper, Marie-Pier se met en position d'attaque, mais je leur fais signe de se relaxer, que tout est normal.

JE VAIS ALLER VOIR DE PLUS PRÈS LEUR PETIT JEU. C'EST PEUT-ÊTRE UN MATCH DE BASE-POP-CORN... MIAM, MIAM!

Après ces quelques secondes de frayeur, nous reprenons notre route et arrivons à la porte d'entrée sans autre difficulté. C'est en jetant un coup d'œil à l'extérieur que notre mission se corse. Un imprévu surgit.

Dans les films, c'est souvent comme ça. Un imprévu survient au moment où tout allait bien. L'imprévu du moment s'appelle la pluie. Charles-Lee est prêt à

rebrousser chemin une fois de plus, mais pas question, que je lui dis. On a une mission, et les missions, ce n'est jamais facile. D'ailleurs, si elles l'étaient, on n'appellerait pas ça des missions! En tant que chef de cette mission, je balaie des yeux les alentours. En haut, en bas, à gauche et... c'est à droite que je trouve! Tout ce dont on a besoin est là, manteau de pluie, bottes et parapluie.

C'est certain qu'il pleut... beaucoup, mais pour des amants de la nature comme nous (je sais, j'en mets un peu) qui s'apprêtent à vivre une excursion de pêche mémorable, ce n'est rien qui puisse nous arrêter. Vêtue du manteau de pluie deux fois trop petit pour elle, Marie-Pier fait le guet. Mes ordres sont clairs : sous aucune considération elle ne peut utiliser son marteau contre un membre de ma famille ou un de mes animaux. Charles-Lee est assigné au parapluie, tandis que je m'occupe moi-même de creuser avec... mes 10 doigts. C'est loin d'être l'idéal, cependant c'est tout ce que j'ai sous la main.

Nous sommes prêts à affronter cet environnement hostile, c'est-à-dire la cour pleine de crottes, gracieuseté des pensionnaires de la clinique vétérinaire de papa. Malgré la mauvaise odeur de vous savez quoi, je tente de creuser. Remarquez le mot « tente », car la terre est dure comme de la roche. Mosus de mosus, encore un obstacle qui se dresse devant nous. Plus difficile que prévu, la vie des espions. Pourtant, dans les films, ils ont l'air de s'amuser. Même les cascades les plus périlleuses sont exécutées comme par magie. J'imagine que c'est arrangé avec le gars des vues.

J'appelle Marie-Brute à la rescousse. Plus forte que la majorité des gars de l'école, elle saura sûrement creuser un trou en un rien de temps avec son petit doigt. Mais non, même en frappant à grands coups de marteau, je me rends compte qu'on en a pour des heures avant d'apercevoir le moindre petit ver de terre.

— Chèche de frapper, Marie-Pier, tu vas achommer les vers de terre.

Marie-Brute agit comme d'habitude, c'est-à-dire qu'elle n'en fait qu'à sa tête, et continue de frapper le sol en jurant sur le coco du Grand Antonius qu'elle creusera un trou aussi grand qu'une piscine olympique. On ne lui en demande pas tant.

Marie-Pier ne gagnera sûrement jamais un concours oratoire, toutefois pour ce qui est de la persévérance et de l'entêtement, c'est une championne catégorie A.

Je cherche une solution. Je me retourne et...
— POT DE COLLE !

Surpris, les autres me regardent et attendent la suite.

— Fallait y penser !
— Pencher à quoi ?
— Ouin, penser à quoi ?

Mes amis ne comprennent pas que la solution à notre problème de creusage est juste là, à côté de nous. Et cette solution s'appelle : Pot de colle ! Il adore creuser pour chercher les vieux os qu'il a enterrés. Il fait des trous gros comme ça, en quelques coups de pattes.

Quand j'expose mon idée, tout le monde est ravi, sauf Pot de colle qui ne semble pas comprendre ce qu'on attend de lui. Alors on prend les grands moyens et tous les trois on se met en position et on fait semblant de creuser.

VOUS NE TROUVEZ PAS QU'ILS ONT L'AIR IDIOTS CES TROIS-LÀ À FAIRE SEMBLANT DE CHERCHER UN OS ?

Marie-Pier s'arrête la première.

— Il ne comprend rien, ton chien !

— Je crois que Marie-Pier a raichon, Lau. Ton chien a bechoin de pluch d'exchplicachions.

J'ai trouvé ! Je sais comment faire bouger mon gros Pot de colle.

JE SUIS
MÊME PAS
GROS !

— Pot de colle, il y a des
biscuits là-dedans.

DES BISCUITS ?
FALLAIT LE DIRE !
VOYONS
VOIR...

Hé, hé, le tour est joué ! Quel spectacle ! La terre vole
dans les airs à chaque coup de patte du gourmand Pot
de colle. Pendant que je cours lui chercher une tonne de
biscuits, Charles-Lee et Marie-Pier remplissent notre
bocal de vers de terre.

ZUT !
Y A PAS UN SEUL
BISCUIT PAR ICI !

Charles-Lee et Marie-Pier n'ont choisi que les plus gros et les plus longs vers de terre, convaincus que les poissons n'en feront qu'une bouchée. Fiers que notre mission soit remplie, nous retournons finir la nuit dans les bras de la fée du dodo. (C'est juste une image, car la fée du dodo n'existe pas vraiment.)

MIAM, MIAM !
ÇA VALAIT LA PEINE
DE SE SALIR
LES PATTES !

La nuit reprend son cours. Nous dormons jusqu'à 5 h et ce n'est pas le réveille-matin, ni oncle Conrad, ni un tremblement de terre qui nous réveille. C'est pire !
— LAURENT SANSOUCY !!!

À QUI LA CROTTE?

Vous l'aurez deviné, Charlotte et son défaut numéro 1 se pointent dans le cadre de porte. C'est ce qu'on appelle commencer sa journée du mauvais pied. Et dans toute sa délicatesse, ma demi-truc a probablement alerté la maisonnée et tout le voisinage. C'est vraiment devenu une mauvaise habitude pour elle d'être là quand ce n'est pas le temps. Je vous prie de me croire, ma demi-sœur est en voix, ces temps-ci! Pourtant, je le jure, je n'ai pas touché à son soutien-gorge ni à rien d'autre lui appartenant.

— Tu peux m'expliquer pourquoi j'ai mis le pied sur une grosse... crotte de chien ?

J'ai juste le goût de lui demander : « Tu peux m'expliquer pourquoi tu es debout à 5 h du matin ? » Je m'abstiens car, en réalité, ça ne m'intéresse pas

JE N'Y SUIS POUR RIEN !

vraiment de le savoir. Je la soupçonne cependant de m'espionner et de faire tout en son pouvoir pour me mettre dans le trouble. Mais comme elle est malhabile et qu'elle ne possède aucun talent pour l'espionnage, ça se retourne contre elle.

Quelque chose me dit que si je réponds tout simplement « non » à sa question, ça ne suffira pas. En fait, c'est ma perspicacité qui me dit ça.

— A, probablement que ton pied s'est retrouvé à la mauvaise place, ou B, c'est la crotte qui n'aurait pas dû être là.

Je croyais, en lui offrant un choix de réponses, que cela la calmerait, qu'elle évaluerait la situation et que ce temps de réflexion lui permettrait de constater qu'il n'y a rien de dramatique dans le fait de mettre le pied sur une crotte de chien à 5 h du matin. Même si cet événement fâcheux se déroule dans le corridor de sa maison et que, dans le fond, il serait préférable tant pour elle que pour tous qu'elle retourne se coucher. Vous connaissez Charlotte, elle aime faire des drames avec peu de chose.

— En plus d'être con, débile et complètement dégueu... t'es...

Ha! ha! Elle cherche un autre qualificatif, mais je crois qu'elle a débité
tous ceux qu'elle connaît.

— T'es... malpropre!
Malpropre?! Toute
cette réflexion
pour... malpropre!
Voulez-vous bien me dire pour
quelle raison c'est moi, le malpropre?
Elle le dit elle-même, c'est une
grosse crotte de chien. Devrais-je lui
préciser que le chien en mesure de faire une grosse
crotte se nomme Pot de colle, qu'il a quatre pattes,
qu'il est poilu, qu'il a un surplus de poids...

MÊME
PAS
VRAI!

... alors que je m'appelle Lau, que j'ai deux jambes,
que je ne suis pas encore poilu et que je suis presque
maigrichon? Elle perd la boule, la Charlotte, ou quoi?

Elle n'en reste pas là.
Elle gueule :

- qu'elle va me battre avec son fer plat ;
- qu'elle va m'accrocher au bout de ma canne à pêche ;
- qu'elle va m'arracher les oreilles ;
- qu'elle va m'empoisonner la vie (si vous voulez mon avis, elle le fait déjà) ;
- qu'elle va... &%$*#%$?# (le même langage codé utilisé à la page 121).

Frustrée, insultée, choquée, elle court sur un seul pied, un morceau de crotte pris entre les orteils. De ce pas sautillant, elle s'en va rejoindre sa maman chérie en pleurnichant.

Enfin, un peu de calme! Terrorisé, Charles-Lee remet ses lunettes en tremblant, alors que Marie-Pier ouvre de peine et de misère un œil en demandant si un train vient de passer dans la chambre.

— C'était plus dangereux et bruyant qu'un train, Marie-Pier, c'était ma demi-sœur!

J'étire le cou pour voir dans le corridor en direction de la scène de crime. Il y a bien au loin quelque chose de suspect qui gît au sol. Je ne peux pas croire que mon meilleur ami à quatre pattes a fait ça dans le corridor. Juste devant la porte de Charlotte la crotte par-dessus le marché.

POURQUOI CE SERAIT MOI LE COUPABLE ? JE VOUS FERAI REMARQUER QUE JE NE SUIS PAS LE SEUL CHIEN DE CETTE MAISON. J'AVOUE QUE L'AUTRE BIBITTE QUI COURT SANS ARRÊT AVEC SA BALLE ET QU'ON OSE APPELER « CHIEN » RESSEMBLE DAVANTAGE À UNE CREVETTE À POIL QU'À UNE BÊTE TERRIFIANTE COMME MOI, MAIS CE N'EST PAS UNE RAISON POUR M'ACCUSER GRRR !

Charles-Lee, Marie-Pier et moi nous dirigeons vers ce reste de crotte problématique afin d'en savoir plus. Trois nez humains et deux museaux de chiens se trouvent maintenant au-dessus du tas en question.

— Ch'est bicharre... Chette crotte ne chent pas la crotte.

Charles-Lee a raison. Aucune odeur nauséabonde ne s'en dégage. C'est louche. Prenant mon courage, non pas à deux mains, mais à un doigt, j'approche mon index et ose toucher à cette... ça alors !

— Pis?

Remarquez-vous la tension extrême dans la voix de Marie-Pier, impatiente de savoir ce qui en est? Non? Moi non plus!

— Pis Lau, ch'est la crotte de qui?

— De personne, Charles-Lee, de personne.

Elle est bonne celle-là! Vous ne devinerez jamais. La fameuse crotte de chien, si terrifiante, si ci, si ça, n'est rien d'autre qu'une vulgaire... motte de boue. Rien que ça!

Fiou! Et moi qui ai cru un moment que Pot de colle perdait la boule et ne faisait plus la différence entre la cour extérieure et le corridor de la maison.

PFFF!
MERCI POUR LA
CONFIANCE!

Je ne me suis jamais retrouvé avec une crotte de chien *écrapoutie* entre les orteils, mais je n'ai aucune difficulté à croire que c'est réellement dégueu. Par compte, j'ai déjà eu une motte de boue coincée là et ce n'est rien pour faire un drame. Celui ou celle qui perd la boule, dans la famille, c'est Charlotte et non Pot de colle.

JE SAVAIS BIEN QUE CE N'ÉTAIT PAS MOI!

Il ne me reste qu'une chose à faire, décrocher le combiné du téléphone et composer le 9-1-1. « S'il vous plaît, madame, enfermez ma demi-sœur dans un hôpital pour personnes sévèrement atteintes de crampes au cerveau. Elle est incapable de faire la différence entre une crotte de chien et une motte de boue. Je vous le dis, madame, ma demi-sœur a le cerveau ramolli. »

Je ne l'ai pas fait. Pourtant, j'avais une excellente raison de le faire !

Caporale-maman arrive, toujours avec ma future sœur Agathe, et remarque qu'il n'y a pas seulement UNE motte de boue, mais plusieurs. Elle ne pose pas la question, mais je la devine.

— Euh... je n'y suis pour rien !

Ce n'est pas un mensonge, c'est seulement que si tôt le matin, mon cerveau n'est pas encore capable d'interpréter toutes les informations qui se présentent à lui. Il est comme ça, mon cerveau. Maman croit que mes pensées sont sélectives. Je ne sais pas trop ce que ça veut dire, mais ça a plein de sens. Maman ne bronche pas, convaincue de ma culpabilité au sujet des mottes de boue.

Au moment où je m'apprête à clamer haut et fort mon entière innocence, je suis (du verbe « suivre », ai-je besoin de le préciser ?) le regard de maman et réalise qu'il y a des preuves accablantes contre moi. Finalement, j'ai bien peur que ma culpabilité ne fasse aucun doute, même pour le plus incompétent des enquêteurs. C'est simple à comprendre, des mottes de boue jonchent le plancher de la porte d'entrée jusqu'à celle de... ma chambre.

« Preuves béton », dirait un avocat.

« Coupable », dirait le juge.

« P'tit con », dirait ma demi-sœur.

— Lau, ramasse ! dit ma mère.

Se sentant eux aussi un peu coupables, Charles-Lee et Marie-Pier me donnent un coup de main.

En deux temps, trois mouvements, le plancher est propre, propre et maman retrouve le sourire.

NULLE

AU MILIEU DE

PART

— Bonjour, je suis heureuse de vous voir.

Et moi donc, Margarida! Enfin libéré de ma demi-sœur au cerveau ramolli. Enfin la liberté. Enfin ma première excursion de pêche.

Avec tous les bagages, impossible d'asseoir tout le monde dans l'auto. J'ai bien peur que l'un d'entre nous ne puisse nous accompagner. À moins qu'oncle Conrad en attache un sur le toit comme font les chasseurs avec

leur pauvre chevreuil. Quand j'aperçois Pot de colle sagement assis sur le siège arrière, je comprends qu'on n'aura pas à en arriver là.

Malheureusement, je dois annoncer à Pot de colle qu'il n'est pas invité et qu'il doit céder sa place.

C'est certain qu'avec Pot de colle, j'ai droit à un épisode de pleurnichage des plus intenses, mais après un câlin et la promesse de revenir dans peu de temps avec un cadeau, mon gros Pot de colle se calme.

C'est finalement dans la
bonne humeur que nous
partons, direction château.
Avant le départ, maman
nous a confié une mission
spéciale : rapporter du
poisson frais. C'est
comme si c'était fait !

On roule.

On roule.

Deux heures de route avec oncle Conrad, ce sont
deux heures de blagues pas toujours drôles, de chansons
à répondre un peu plates et d'histoires de pêche difficiles
à croire.

Exemple de blague pas toujours drôle : « Quel fruit les poissons détestent-ils le plus ? La pêche. »

Exemple de chanson à répondre un peu plate : Enweille, enweille, la p'tite, p'tite, p'tite. Enweille, enweille, la p'tite jument.

Exemple d'histoire de pêche difficile à croire : « Un jour, j'ai pêché dans un p'tit lac un requin plus gros que ma chaloupe ! »

Comme vous pouvez le constater, on ne s'ennuie jamais avec oncle Conrad. Mais à la longue, quand le mal de tête nous prend, on rêve d'un moment ou deux de silence.

N'en pouvant plus et débrouillarde comme pas une, Marie-Pier s'enfonce des guimauves dans les oreilles et parvient à avoir la paix une partie du voyage.

Une centaine de kilomètres plus loin, la voiture s'arrête enfin. En jetant un coup d'œil à l'extérieur, je redoute qu'on soit perdus au milieu de nulle part. Pourquoi est-ce qu'on s'arrête? On a une crevaison? Une panne d'essence?

— Ça y est les enfants, nous sommes arrivés !

Euh... nous sommes arrivés où exactement ? Que je regarde là, par là, vers là ou juste là, je ne vois que des arbres et encore des arbres. Aucune trace de château à l'horizon, et pas plus de lac avec affiche lumineuse « Bienvenue au lac du Paradis de la Pêche ».

Oncle Conrad, lui, semble très à l'aise. Il respire à pleins poumons.

— Sentez-moi ça, les enfants. L'air frais, la pureté du vent, la mélodie du silence, l'odeur du feuillage...

Oncle Conrad se laisse maintenant aller à faire de la poésie. Et pourquoi pas le parfum des aisselles, un coup parti? Marie-Pier, qui ne semble pas portée sur les vers (je parle ici des vers de poésie et non de vers de terre), garde les deux pieds sur terre et commente à sa façon les douces réflexions du poète en mangeant ses deux guimauves.

— Moi, je sens rien pantoute!

MIAM

Oncle Conrad avait oublié un petit détail. C'est lui qui dit « petit », car moi je trouve que c'est un GROS détail. Jugez par vous-même. Pour se rendre à son fameux château, en partant de la route, il faut faire cinq minutes de marche à travers la forêt. Cinq minutes, ce n'est pas grand-chose vous allez dire, mais avec tous les bagages à transporter, cette épreuve s'annonce des plus éprouvantes.

Et tout le monde applaudit bien fort oncle Conrad! C'est une blague, évidemment. À mon avis, il mériterait plutôt une perte de cinq points dans son code de vie de l'école avec une retenue pour avoir enfreint le règlement numéro 11.03 qui stipule : « Je dis toujours la vérité, juste la vérité, sans oublier de petits détails. »

J'espère qu'oncle Conrad n'a pas d'autres « surprises » de ce genre.

C'est donc chargés comme des mulets partis en expédition au sommet de l'Everest que nous empruntons un sentier étroit et rempli d'embûches. Margarida, qui se croit toujours reine de beauté avec sa ruche d'abeilles sur la tête, attire tellement de moustiques qu'elle n'y voit rien. Elle a de la difficulté à mettre un pied devant l'autre. Évidemment, marcher avec des souliers à talons hauts dans un sentier pareil n'aide en rien sa situation.

Impressionné, Charles-Lee nettoie ses lunettes pour être certain qu'il ne rêve pas.

— Cha alors, vous chavez vu les mouchtiques? J'ai jamais vu cha avant.

Probablement que ces insectes n'ont jamais eu la chance de sentir autant de fixatif sur la tête d'une seule et même personne. La bonne nouvelle, c'est qu'il n'en reste pas un seul pour nous embêter. Jamais à court d'idées, Charles-Lee essaie de compter une à une les bestioles qui tournent autour de la tête de Margarida. Il est convaincu qu'il s'agit d'un nouvel exploit

et qu'il pourra l'inscrire dans le livre des records inusités.
J'imagine déjà ça :

RECORD MONDIAL
Le record mondial du
plus grand nombre
de moustiques autour
d'une tête presque
aussi haute que la
tour Eiffel a été
établi au fin fond
de nulle part.

Heureusement pour nous tous, devant la complexité
de la chose, Charles-Lee laisse tomber son décompte
au bout de quelques minutes.

Comme je le redoutais, oncle Conrad a oublié d'autres
« petits » détails. Après les 5 premières minutes de
marche, 5 nouvelles minutes s'ajoutent, puis 5 autres
5 minutes. Les bollés en maths auront compris que
notre petite excursion aura pris 7 fois 5 minutes pour
un total de... 35 minutes de marche ! Soit oncle Conrad
n'est pas fort en maths et ne fait pas la différence
entre 5 et 35, soit il ne connaît rien en distance !

Épuisés, courbaturés, en sueur et à bout de forces, nous arrivons finalement au fameux châ...

— Ch'est cha, le château ?

— Oui, Charles-Lee, ch'est... euh, c'est ça le château.

— Moi, je pense que c'est plus une cabane qu'un château.

Difficile de contredire Marie-Pier là-dessus. C'est un peu vrai que le château d'oncle Conrad ressemble à une cabane. Pourtant oncle Conrad est plus que fier de son coin de paradis !

— Vous voyez ça, les enfants, c'est pas merveilleux ?

Euh... non, on ne voit pas. Et non, ce n'est pas merveilleux. Car tout ce qu'on voit ici c'est une cabane qui a probablement servi de poulailler ou d'écurie il y a de ça très, très longtemps. Quant au château, j'ai bien peur qu'il n'ait jamais existé.

LAU EST PARTI SANS MOI.

Quand oncle Conrad a parlé d'un château, d'un coin de paradis et d'un décor enchanteur, mon imagination s'est enflammée. Comme pour le mot « sport », oncle Conrad et moi n'avons pas la même définition de « château ».

Définition du mot « château » selon Laurent Sansoucy :
Habitation luxueuse juchée dans les montagnes et
entourée de lacs. Ses occupants sont des gens riches et
célèbres.

Définition du mot « château » selon oncle Conrad :
Cabane sur le bord d'un lac qui se trouve au bout d'un
sentier à peine aménagé et perdu au milieu d'une forêt.
Ses occupants sont des gens qui se sont fait avoir.

Tout est question de perception, disait l'enseignante de
ma deuxième deuxième année. (Il n'y a pas d'erreur,
c'était vraiment lors de ma deuxième deuxième année.)

Elle nous encourageait à développer notre imagination. On fermait les yeux une minute et on imaginait n'importe quoi. Une chaise, par exemple. Je vous assure que chaque élève voyait une chaise différente. La mienne était la plus grosse et pouvait asseoir une famille de 17 enfants en plus des parents. C'est de la chaise, ça!

On peut faire l'exercice ensemble si vous voulez. Fermez vos yeux... (Les p'tits vites vont dire « oui, mais si je ferme les yeux, comment je vais pouvoir continuer à lire? » et ils auront raison.) Donc, dans cinq secondes, le temps de connaître toutes les consignes, fermez les yeux et imaginez... une cabane dans un arbre. Quand vous aurez les yeux fermés, imaginez votre cabane pendant 20 secondes. C'est mieux comme ça hein? 5, 4 3 2 1 0

Ceux qui ne respectent pas les consignes et qui ont toujours les yeux ouverts, vous devez copier la définition d'un mot de votre choix, disons, trois fois! Vous voyez, je suis moins sévère que monsieur Shampoing, l'illustre directeur d'école qui ne connaît que le chiffre

quand vient le temps de copier.

Revenons à notre cabane dans l'arbre. La mienne est vraiment unique. Elle fait partie d'un village érigé dans un immense sapin. Chacune des branches de l'arbre abrite une cabane. Et ce n'est pas tout, un train électrique sillonne une voie ferrée imaginaire. Les gens qui sont vraiment heureux d'habiter dans un arbre aussi majestueux chantent à longueur de journée. Mon imagination est en pleine forme, hein? Fin de l'exercice.

Comme je le disais plus tôt, nous arrivons ENFIN sur le bord de notre lac. Un petit écriteau planté sur la rive, près de la chaloupe amarrée, nous rappelle que nous sommes au « Lac des Perdus ».

Je n'avais vraiment pas besoin d'une pancarte pour le savoir. Oncle Conrad, toujours aussi proactif, se bat, non pas avec les moustiques, ni avec l'un de nous, mais avec la porte du châ... de la cabane, qui refuse de s'ouvrir.

Tourne la poignée d'un bord, tourne la poignée de l'autre bord, coup d'épaule, coup de fesse, coup de pied, rien à faire. L'ancien homme fort du comté doit s'avouer vaincu. C'est 1-0 pour la vieille porte!

Marie-Pier décide alors de s'en mêler et sort son marteau de ses bagages. Je m'attends à une catastrophe. J'ai peur que tout s'écroule après un seul coup de Marie-Brute. Attention, elle s'approche et...

La porte s'ouvre et la cabane reste debout. Chambranlante peut-être, mais debout.

Alors qu'aucun d'entre nous n'ose bouger, oncle Conrad se précipite à l'intérieur. Pour ceux qui s'inquiètent du cas de Margarida, sachez qu'elle est toujours entourée de sa colonie de moustiques. Affichant malgré tout son sourire radieux et permanent, elle attend, comme nous, le verdict d'oncle Conrad. De mon côté, j'ai déjà ma petite idée sur l'atmosphère qui règne à l'intérieur.

Oncle Conrad réapparaît, triomphant.

— C'est encore plus beau que je pensais !

J'en étais sûr! Si, de l'extérieur, oncle Conrad a vu un château, l'intérieur doit être aussi « magnifique » à ses yeux. Sur le bout des pieds, j'entre, suivi de mes deux amis. Comment vous décrire cet intérieur si... magnifique ?

Vous savez, les émissions de décoration où la dame entre dans sa pièce fraîchement décorée et qu'elle s'exclame : « Oh wow, c'est encore plus beau que je ne l'imaginais, ça n'a pas de bon sens, c'est trop, arrêtez, patati, patata... » Un peu comme si cette personne venait de gagner un gros montant d'argent et une bague en or en plus. Vous voyez le genre ?

En réalité, en entrant dans la cabane, aucune dame, normale et bien équilibrée, ne penserait faire un commentaire qui se rapproche le moindrement de cela ! Elle dirait sans doute : « À l'aide, sortez-moi d'ici, ramenez-moi à la maison, je ne mérite pas ça ! Ça n'a pas de bon sens (mais pas dans le même sens que tantôt), patati, patata... » Un peu comme si elle avait perdu un gros montant d'argent et sa bague en or en plus !

Ne cherchez pas d'interrupteur, il n'y en a pas. Pas d'électricité, donc pas de lumière, encore moins d'Internet et de jeux vidéo, et aucun signal pour le téléphone cellulaire. Je peux continuer comme ça un bon moment : pas de douche, pas de rideaux, pas de télé, pas d'eau courante, pas de matelas, pas de... ce que vous voulez ! Ameublement de base, du genre lits en bois, table et banc en bois et poêle à bois. À chacun de nos pas, le plancher (de bois) craque et les dents de Charles-Lee claquent !

Pour nous sentir plus en sécurité, nous ressortons à l'extérieur. Entre deux claquements de dents, Charles-Lee me chuchote à l'oreille :

— Et chi on veut faire pipi, on va où ?

Ah oui, j'oubliais, pas de toilette !

Bonne question, mon Charles-Lee. Mais quelque chose me dit que ça ne sera pas dans notre faux château.

Ça me rappelle d'ailleurs un souvenir de camping. Papa avait décidé, sans prendre la peine de consulter qui que ce soit, que toute la famille aimait le camping... sauvage. Sauvage, comme on va faire pipi dans une très petite cabane de bois où il y a un banc inconfortable avec une chaudière en dessous. Dégueu! Vraiment dégueu! Il avait surestimé l'amour du camping sauvage de maman et de Charlotte. Je dirais même, il avait surestimé leur amour du camping tout court! Quand maman est ressortie de la cabane-toilette avec une écharde dans

une fesse, notre fin de semaine de camping sauvage s'est terminée instantanément. Une seule nuit et c'en fut assez. C'est l'unique et dernière fois qu'on a croisé maman et Charlotte sur un terrain de camping!

Papa a donc laissé tomber le camping sauvage. Maintenant, quand on part en camping, on fait ce qu'on a à faire dans une toilette normale, mais les filles de la maison refusent quand même toutes nos invitations. Je ne m'en plains pas, camper seul avec papa, ça veut dire avoir un plaisir fou, se coucher tard et manger plein de cochonneries sur le bord du feu. Même que, des fois, on peut amener Pot de colle avec nous.

Coup d'œil rapide autour et c'est sans difficulté que je repère ce que je cherchais. Je parie que la chaudière dégueu se trouve derrière la porte du minuscule cabanon, au moins deux fois plus petit que ma garde-robe, juste là, dans le bois.

À pas de loup, nous...

D'accord, j'explique ! « À pas de loup » ne veut pas dire qu'il n'y a pas de loup. Ça veut dire que nous approchons sans faire de bruit, comme font les loups.

Nous approchons donc de la mystérieuse armoire à balais. Prête à tout, comme d'habitude, Marie-Pier tient fermement son marteau dans les airs, au cas où. Ce qui ne rassure pas nécessairement Charles-Lee qui tremble comme une feuille en essuyant ses lunettes. Faisant preuve d'un courage inouï (vous me connaissez, je suis un brave !), je prends une grande inspiration et j'ouvre.

Mosus,
j'avais
raison !

— Cha alors ! Ch'est là-dedans qu'on va faire pipi ? !
Marie-Pier a une autre solution.

— T'as juste à te retenir, Charles-Lee.

Avec Marie-Pier, chaque problème a une solution des
plus simples.

Il serait inapproprié d'en rajouter, de vous décrire en détail ou encore moins de vous montrer une photo de notre toilette, car de jeunes enfants pourraient en être traumatisés pour longtemps. Je dirai simplement que le sous-sol de l'école qui sert de repaire à monsieur Clovis et qui m'a fait si peur pendant des années a l'air d'un manoir de riches comparé à ça. Un espace d'à peine un mètre sur un mètre sur un mètre, avec une vieille chaudière au milieu et des araignées au plafond, ça donne la chair de grosses poules! Oubliez le système de ventilation qui serait vraiment utile dans les circonstances.

— Y a même pas de chiège chur la chaudière!

Inutile d'en remettre, Charles-Lee, on a tous vu l'horreur.

JOURNÉE INTERNATIONALE DU DÉFI

Pendant que nous sommes quelque peu, enfin, vraiment beaucoup extrêmement sous le choc devant notre toilette des deux prochains jours, oncle Conrad nous invite à notre première excursion de pêche.

Enthousiastes, nous transportons tout notre équipement à la chaloupe. Asseoir cinq personnes dans une chaloupe ne devrait pas présenter un si grand risque, mais quand, parmi ces cinq individus, vous avez un oncle Conrad avec un surplus de poids, cela peut constituer un certain danger.

Quand oncle Conrad dépose ses fesses sur le banc à l'arrière de la chaloupe, le devant de l'embarcation, lui, ne touche plus à l'eau! C'est comme si on s'apprêtait à partir en fusée.

Les autres s'installent un à un et on se
rend au milieu du lac des Perdus.
Là-bas, nous attendons, attendons, attendons
et... devinez quoi, attendons encore que
la pêche miraculeuse promise par oncle
Conrad se produise sous nos yeux et au
bout de nos lignes à pêche.

— Peut-être que les poichons n'aiment pas nos vers de terre, a suggéré Charles-Lee.

Alors on a changé nos vers de terre.

— Peut-être qu'ils ont peur de mon marteau, a proposé Marie-Pier.

Alors elle a rangé son marteau.

— Peut-être qu'ils n'aiment pas l'odeur du fixatif, ai-je osé souligner.

Alors Marie-Pier a proposé sa casquette à Margarida qui a accepté volontiers de la porter. Ça n'a recouvert qu'une petite partie de sa chevelure, mais c'était mieux que rien.

Malgré toutes ces précautions, rien à faire. À croire que le lac des Perdus a perdu ses poissons !

Pour passer le temps ou pour se montrer intéressant ou pour nous casser les oreilles ou pour tout ça en même temps, Charles-Lee ne nous parle pas d'un documentaire sur la nage synchronisée ou les espèces marines du Grand Nord québécois qu'il a vu trois fois dans la dernière semaine, non, mon ami sort plutôt de son immense sac un tas de numéros de la revue *Pêche heureuse*.

— Dans le numéro du printemps 2008, il y a un article chuper intérechant chur les chappâts préférés des poichons d'eau douche.

Comme si ça intéressait quelqu'un! Pendant une heure qui me paraît un peu plus d'une éternité (c'est presque aussi long qu'un cours d'anglais avec Miss Smith), Charles-Lee épluche sa pile de magazines et prend soin de nous en lire des grands bouts.

Numéro de l'été 2010 : « Entrevue avec le poète Rémi Rémillard, celui pour qui poisson rime avec saumon. »

Numéro de l'automne 2008 : « Trucs et conseils d'experts. Comment bien choisir ses partenaires de pêche. »

Numéro du printemps 2011 : « Le doré, ce poisson qui vaut son pesant d'or. »

Numéro de l'hiver 2012 : « Exposition régionale de mouches. Bienvenue aux mordus. »

Numéro spécial du printemps 2009 : « Légendes d'ici et des lacs. Ce que vous n'avez jamais vu et que vous ne verrez probablement jamais. »

Je vous fais grâce des mille et une photos. Un gars avec un poisson. Un autre gars avec un autre poisson. Un poisson avec un gars qui n'a pas de dents. Un poisson qui n'a pas de dents avec un gars qui, lui, en a.

Intéressant, hein? Et pendant tout ce temps, pas un seul poisson n'est venu nous faire un petit bonjour. Pas un! Oncle Conrad décrète alors que ce n'est pas une bonne journée pour la pêche et nous fait part d'une savante théorie qu'il a probablement déjà lue par accident dans le numéro de l'automne 1951 de la revue *Pêche heureuse*.

— Quand on ne voit pas un seul poisson, c'est signe que le lendemain un événement hors de l'ordinaire se produira!

La savante théorie s'arrête là. Pas un mot sur l'événement hors de l'ordinaire. Une pêche abondante ? L'apparition d'un vrai château ? L'arrivée de Pot de colle qui se sauve de Torpille ? Une tempête de neige ? Aucune idée de ce que ça peut être, mais je vous donne ma parole qu'oncle Conrad est sérieux au sujet de sa théorie. Charles-Lee, certain d'avoir déjà lu quelque chose là-dessus, se met à chercher dans ses revues.

Moi, je n'en crois pas un mot, ni même une syllabe ou une lettre. Je pense plutôt que le seul événement hors de l'ordinaire qui risque d'arriver, c'est qu'on se fera prendre par la pluie parce que de gros nuages gris s'en viennent.

Retour au château-cabane. Enfin, tentative de retour, car nous sommes pris dans une petite chaloupe au milieu d'un lac avec un moteur qui refuse de se remettre en marche. Oncle Conrad travaille avec l'énergie du désespoir à tirer sur la corde, mais tout ce que le moteur arrive à faire, c'est un « pout pout » ou « pouet pouet » ou quelque chose comme ça ! Ce qui est certain, c'est que, les doigts croisés, Charles-Lee et moi espérons entendre un beau « vroum vroum » pendant que Marie-Brute, marteau en l'air, est convaincue de connaître une meilleure technique de remise en marche d'un moteur.

L'engin commence à dégager une forte odeur d'essence, ce qui n'annonce rien de bon. À bout de souffle, oncle Conrad déclare qu'un nouveau défi s'offre à nous : retourner au château en ramant. Définitivement, c'est la journée internationale du défi pour Laurent Sansoucy et compagnie ! Revenir vers le rivage est une épreuve que nous pouvons sûrement surmonter, mais s'y rendre à l'aide d'UNE SEULE rame, c'est loin d'être fait !

Le vent se lève, les nuages s'approchent et le ciel gronde au loin. Avec une rame et six petites mains, nous arrivons tant bien que mal à faire avancer cette foutue chaloupe. L'ancienne reine de beauté, elle, sourit comme d'habitude et tape des mains pour nous encourager.

Vous ne croirez jamais ce qui se passe au bout de 54 minutes et 36 secondes... Nous réussissons ! Encore plus surprenant, je suis heureux de retrouver la cabane d'oncle Conrad. Évidemment, la pluie s'étant mise de la partie, nous sommes tous trempés jusqu'aux os. Je sais que plusieurs se posent une question. La réponse est non ! Eh non, la chevelure de Margarida n'a aucunement été importunée par toute cette pluie. Tout est intact. Vrai qu'elle a une casquette sur le dessus mais, quand même, ça prend du fixatif à toute épreuve pour résister à de telles intempéries.

Un bon feu de bois, des spaghettis sans sauce (oncle Conrad l'a oubliée), et nous voilà heureux, mais surtout au sec et rassasiés.

C'est dans la bonne humeur que nous passons la soirée à écouter les nouvelles histoires abracadabrantes d'oncle Conrad qui nous raconte, le plus sérieusement du monde, la fois où il a rencontré un ours brun de 600 kilos et la façon dont il s'y est pris pour l'apprivoiser avec un biscuit au chocolat.

Moi, j'en profite pour organiser une partie de mon jeu-questionnaire, *LE LOT!*

Avec questions rigolotes et réponses faciles.

Question 1 : Nommez un individu avec une grosse bedaine qui raconte des histoires abracadabrantes et qui nous entraîne dans des aventures qui n'ont pas d'allure ?

Question 2 : Quelle revue, tout à fait inintéressante, un petit Chinois qui adore les frites québécoises lit-il comme si elle était réellement captivante ?

Question 3 : Nommez un objet dur comme de la roche qui peut faire peur, qui peut faire mal et qui est devenu le meilleur ami de Marie-Pier ?

Question 4 : Que préfèrent les moustiques ?

a) Les aisselles d'oncle Conrad.

b) Les oreilles de Charles-Lee.

c) La tête pleine de fixatif de Margarida.

On rigole comme des fous jusqu'à ce que la fatigue de cette journée riche en rebondissements et en défis multiples nous emmène tranquillement vers un repos plus que mérité.

Mes paupières deviennent lourdes et j'ai une petite pensée pour mon Pot de colle qui doit s'ennuyer de moi. Je l'imagine, seul à la fenêtre d'une maison inanimée, en train d'attendre mon retour.

LE SURVIVANT

Quel est le titre de l'autobiographie de Laurent Sansoucy?

Non madame, ce n'est pas *Guide de survie pour endurer une demi-sœur*. Ça, c'est le titre du premier chapitre, qui compte pas moins de 400 pages.

Droit de réplique : Félicitations cher monsieur, vous avez la bonne réponse. C'est bel et bien, *Le survivant*. Vous gagnez le gros lot, soit l'autobiographie intégrale de Laurent Sansoucy. J'espère que vous avez un immense garage, car cet ouvrage encensé partout dans le monde comprend pas moins de 43 tomes pour un total de 62 221 pages.

LAU 16 LAU 17 LAU 18 LAU 19 LAU 20 LAU 21 LAU 22 LAU 23 LAU 24 LAU 25 LAU 26 LAU 27 LAU 28 LAU 29 LAU 30 LAU 31 LAU 32 LAU 33 LAU 34 LAU 35 LAU 36 LAU 37 LAU 38 LAU 39 LAU 40 LAU 41 LAU 42

En voici justement un extrait.

« Je me nomme Lau. On m'appelle aussi "le survivant", parce que je croise régulièrement ma demi-sœur Charlotte le matin, que je vais dans la classe de Miss Smith deux fois par semaine, que je tombe face à face avec le directeur de l'école au moins trois ou quatre fois par semaine et que j'ai survécu, presque par miracle, à une expédition de pêche organisée par oncle Conrad. »

J'ai l'air d'en mettre un peu, mais si vous étiez dans la situation insoutenable où je me trouve en ce moment, vous diriez comme moi. D'ailleurs, j'ai un défi à vous proposer. Essayez de passer une nuit complète dans une cabane aussi chambranlante qu'un château de cartes qui ressemble à un poulailler ou à une écurie de l'ancien temps, sans électricité, sans confort et perdue au fond d'une forêt. Facile, vous dites? Je n'ai pas terminé, le vrai défi s'en vient. Sortez-en... **VIVANT!**

Puisque je suis habitué à surmonter ce genre d'épreuve, ce nouveau défi qui s'offre à moi n'est rien d'autre que de la routine. Mais pour une personne qui a une vie normale, entourée de gens normaux (en d'autres mots qui n'a pas de demi-sœur comme Charlotte), c'est loin d'être aussi simple que ça en a l'air.

Quelle horrible nuit quand même. Avec l'orage qui déferle à l'extérieur, je suis loin de me sentir en sécurité. L'idée de voir le toit de la cabane s'envoler est bien présente et, surtout, fort probable. Ce n'est pas tout. Mon voisin de droite est aussi effrayé que moi, sinon plus, et claque des dents. J'ose espérer que vous avez reconnu Charles-Lee. À ma gauche, mon amie Marie-Marteau parle, euh... non, grogne dans son sommeil. Elle tient fermement son inséparable outil.

Je la surveille du coin de l'œil, craignant qu'elle me prenne pour un loup et qu'elle tente de m'assommer. Un peu plus loin dans le coin, oncle Conrad ronfle. Pas un ronflement mélodieux qui me rappelle mes dernières vacances au bord de la mer. Non, j'ai plutôt l'impression qu'un tracteur tire péniblement une charrette remplie de balles de foin à quelques mètres de moi. Impossible pour un gars de 10 ans de ne pas être effrayé et de penser qu'il s'en sortira vivant sans se battre contre les forces de la nature.

SOUDAIN, dans cette nuit sombre et affreusement troublante (avouez que vous avez peur !)...

— Y a... Y a... Y a...

Charles-Lee, qui a déjà un petit défaut de langage avec le son « s » qui dans sa bouche ressemble davantage à « ch », se met à bégayer.

— Un... un... un...

Je n'ai pas la patience d'attendre la fin. Je propose une suite.

— Y a un... mosus de documentaire que tu as vu et dont tu voudrais me parler! Tu ne trouves pas que le moment est mal choisi?

— Non, non, non...

Problème de répétition maintenant!

— Y a un rôdeur à l'echtérieur!

Il a dû avoir une hallucination auditive. Je porte attention à l'extérieur et... je constate que Charles-Lee a raison. J'ai bien entendu des pas, moi aussi. Dans ce genre de situation, il faut garder son sang-froid et réfléchir vite. Donc, comment et surtout avec qui affronter le rôdeur maléfique qui erre autour de notre cabane? Marie-Brute-Marteau!

Réveiller Marie-Pier représente un autre défi de taille. On brasse, on chuchote, on chatouille, on pince le nez, notre amie, telle une poche de patates, reste imperturbable ! Mais quand Charles-Lee échappe le mot « attaque », Marie-Brute est debout, partante comme toujours et prête au combat.

Le rôdeur sanguinaire semble avoir senti le danger. On n'entend plus que le son du tracteur d'oncle Conrad, celui de l'orage et... celui des dents de Charles-Lee. Fiou ! On peut se recoucher.

Mais, comme dans tout bon film d'horreur, les pas sont bientôt de retour et s'approchent de la porte. C'est juste si on ne sent pas le souffle morbide de la bouche du rôdeur nocturne.

Dans un moment ou deux, trois peut-être, il pourrait bien apparaître et...

— Il n'y a pas une seconde à perdre. Marie-Pier, ton marteau, Charles-Lee, ta lampe frontale, et moi... ma fronde !

Un affrontement se prépare entre le «trio disparate» et on ne sait trop quoi encore. Malgré la trouille qui le tient de toutes ses forces, Charles-Lee mène la marche vers la porte.

BRRRROUM

Non, personne ne joue aux quilles. C'est le tonnerre qui ne fait qu'augmenter notre niveau de stress.

Un coup de foudre assourdissant et des bruits de pas à l'extérieur, c'est terrifiant, mais ce n'est rien en comparaison de l'odeur qui envahit le château, oups! pardon, la cabane. J'en déduis qu'il ne s'agit pas d'un rôdeur féroce qui cherche une proie fraîche, mais plutôt d'une riposte terroriste de gaz nauséabonds créés par des extraterrestres. Avec sa lampe frontale, Charles-Lee vérifie si un nuage toxique flotte au-dessus de nous comme on le craint, mais rien de visible à l'œil nu.

— Cha chent pas bon! Ch'est pire que les chandwichs aux chœufs de la cafétéria de l'école!

Personne ne peut contredire Charles-Lee là-dessus. Tous les élèves s'entendent pour dire que l'odeur des sandwichs aux œufs de la cafétéria de l'école est presque aussi dommageable que l'affreuse haleine de monsieur Champoux. Ce qui est bien avec les sandwichs aux œufs, c'est qu'il y en a seulement le jeudi midi, alors que l'haleine de monsieur Champoux, c'est un supplice au quotidien.

Je suis la provenance de l'odeur et, oh non! Ce n'est pas vrai! Ça ne se peut pas! Je rêve, j'hallucine, je délire! Je n'en crois pas mes oreilles et encore moins mon nez! L'attaque terroriste n'est rien d'autre qu'oncle Conrad et ses... flatulences!

Urgence extrême dans la cabane (ça ferait un excellent titre de film d'horreur). Il faut absolument ouvrir la porte pour éviter l'asphyxie générale. Mais ouvrir la porte veut dire affronter le rôdeur assassin et risquer de devenir son dessert, lui qui cherche sûrement des enfants à se mettre sous la dent.

Deux morts s'offrent à nous. On peut choisir soit de mourir empoisonnés, gracieuseté d'oncle Conrad, soit de finir dans le ventre du vorace rôdeur affamé. Nous n'avons pas vraiment le temps de faire un sondage. Cette décision d'une importance cruciale doit être prise *subito presto*. J'y vais donc pour...

... ma p'tite vache a mal aux pattes, tirons-la par la queue, elle deviendra mieux, dans un jour ou deux!

Peut-être pas scientifique comme méthode de prise de décision, mais drôlement efficace.

On ouvre!

— À un, Charles-Lee ouvre la porte. À deux, je tire une guimauve avec ma fronde. À trois, si le rôdeur répugnant n'a pas été assommé par mon projectile, Marie-Pier y va d'un coup de marteau là où ça fait mal. Tout le monde a compris ?

Allons-y !

Un : La porte s'ouvre.

Deux : Je laisse partir ma guimauve et j'atteins... MARGARIDA !

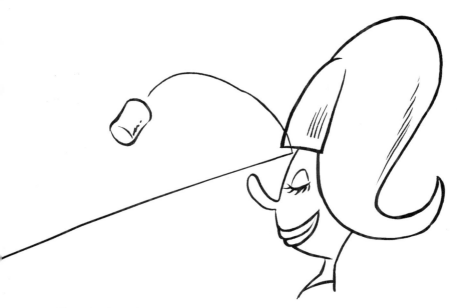

Trois : Annulé, même si la cible n'est pas assommée !

— Bonjour, je suis heureuse de vous voir.

Non, ce n'est pas une hallucination visuelle, ni un cauchemar, c'est Margarida. La toujours heureuse de nous voir est somnambule ! Comme si c'était le moment et l'endroit...

On recommence à respirer normalement, on raccompagne Margarida à son sac de couchage et... un fou rire s'empare de nous trois. On se met à rire, mais rire et rire et rire encore et rire encore plus et se rouler par terre de rire et avoir mal au ventre d'avoir trop ri. La séance de plaisir intense terminée, on constate que Margarida s'est endormie sans vraiment avoir conscience de ce qui s'était passé.

Tout est bien qui finit bien. J'ai survécu une fois de plus à un défi monstre et, en compagnie de mes fidèles amis, je ferme les yeux paisiblement jusqu'au petit matin.

D'ailleurs, il arrive un peu vite ce petit matin. Adieu château du lac des Perdus !

C'EST QUE...
IL SERAIT TEMPS
DE DORMIR !

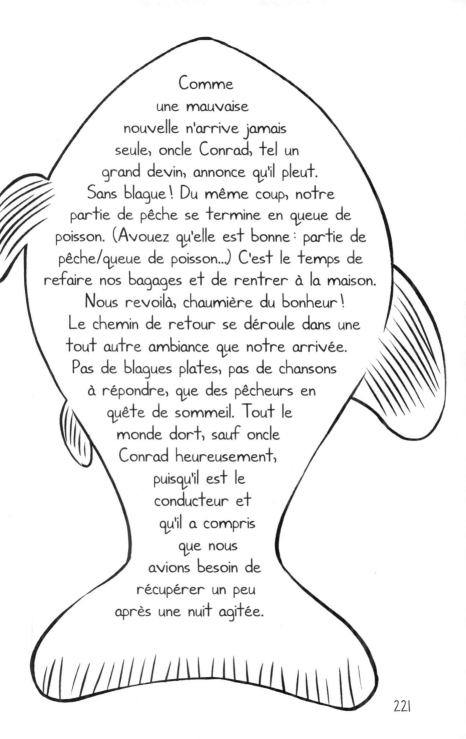

Comme
une mauvaise
nouvelle n'arrive jamais
seule, oncle Conrad, tel un
grand devin, annonce qu'il pleut.
Sans blague! Du même coup, notre
partie de pêche se termine en queue de
poisson. (Avouez qu'elle est bonne : partie de
pêche/queue de poisson...) C'est le temps de
refaire nos bagages et de rentrer à la maison.
Nous revoilà, chaumière du bonheur!
Le chemin de retour se déroule dans une
tout autre ambiance que notre arrivée.
Pas de blagues plates, pas de chansons
à répondre, que des pêcheurs en
quête de sommeil. Tout le
monde dort, sauf oncle
Conrad heureusement,
puisqu'il est le
conducteur et
qu'il a compris
que nous
avions besoin de
récupérer un peu
après une nuit agitée.

J'ai tellement hâte de faire la surprise à Pot de colle et au reste de la famille. J'ai un beau cadeau à leur offrir. Ce n'est peut-être pas du poisson frais comme le voulait maman, mais c'est encore mieux. Du poisson frais, on le met au four, il empeste toute la maison, on le sort, on le mange, et terminé la surprise. Le souvenir de notre expédition aurait disparu l'instant d'un repas. Alors qu'avec ce que je rapporte, on s'en souviendra très, très, très longtemps, personne ne se plaindra de l'odeur et ça fera rigoler toute la famille, je vous le garantis.

J'ouvre la porte sans faire de bruit. C'est le calme plat. Bizarre, Pot de colle qui me sent à 10 kilomètres à la ronde n'est pas là pour me faire la fête, me sauter dessus et me lécher partout dans le visage.

> TIENS,
> SI C'EST PAS LAU...
> JE SUIS TROP FATIGUÉ
> POUR ME LEVER.

Habituellement, Torpille n'est jamais bien loin elle non plus et Jasmine vient ronronner autour de moi. Seraient-ils en train de préparer une fête pour célébrer mon retour? C'est sûre-ment ça. Dans un instant, ils vont tous sortir de leur cachette et crier SURPRISE!

Hé, hé! S'ils croient m'avoir, c'est bien mal connaître Lau Sansoucy-le-survivant-perspicace. Je vais déjouer leur plan.

Je marche sur le bout des orteils et... personne dans la cuisine. Je continue, mais plus sur le bout des orteils, car ça fait trop mal. J'approche de la chambre de mes parents, j'y jette un coup d'œil discret. C'est là! C'est exactement ce que je pensais, ils sont tous couchés et font semblant de dormir. Même Charlotte participe à ma fête de retour. Adorable, cette Charlotte! C'est clair qu'elle s'est ennuyée de son charmant petit demi-frère.

Sans attendre, je sors de mon sac la surprise qu'oncle Conrad m'a offerte à défaut de rapporter un poisson lonnnnnnnnnnnng comme ça! Attention... C'est parti!

SURPRISE !

Mon poisson chantant se met à chanter !

— P'tit con!

Oups... ils dormaient vraiment! Mon poisson est mieux de se taire et de retourner dans sa boîte avant de se faire décapiter par la... un peu moins adorable Charlotte!

— Elle venait à peine de s'endormir !
Elle ? Mais... c'est...
AGATHE est arrivée ! **WAAAAAA!**

Ma nouvelle petite sœur pas adolescente et vraiment adorable, elle, est arrivée ! Oncle Conrad avait raison ! Un événement hors de l'ordinaire s'est produit !

ELLE EST PETITE, AGATHE, MAIS... QUELLE VOIX ! OUCH, MES OREILLES !

TABLE DES MATIÈRES